日本人が奴隷にならないために

絶対に知らなくてはならない言葉と知識

秋嶋　亮

白馬社

まえがき

主著である『ニホンという滅び行く国に生まれた若い君たちへ』が刊行された当時、挑発的なタイトルが反感を買い、保守層《アンチ》から喧々囂々《けんけんごうごう》の非難を浴びたものだ。

しかしそれから6年が経ち、この国が崩壊途上にあることは衆目の一致するところとなり、記述の一切が現実によって証《あか》されたのである。

つまり「君たちの脅威とは、外国資本の傀儡と化した自国政府、生存権すら無効とする搾取、正常な思考を奪う報道機関、貿易協定に偽装した植民地主義、戦争国家のもたらす全体主義である」という序文の通りに全てが進行しており、これに対する反論が極めて困難なのである。

この次元に際し、僕はかつてない「散種《ディセミナシオン》」の広がりを感じているのだ。

「散種《ディセミナシオン》」とはJ・デリダが提唱した、或る言葉の意味が別物にすり替わるという概念である。すなわち、一つの記号《シニフィアン》に対置する記号内容《シニフィエ》が他に置き換えられる現象であり、言い換えると「意味論的な空間の破壊」である。そしてこれにより我々は未曾有の「言葉の壊乱《バベリズム》」に直面しているのだ。

いくつか例を挙げてみよう。

「保守」や「右翼」を自称する政治家たちが、外資から献金を受け取り、自由貿易によって主権を放棄し、種子法の廃止によって伝統農業を破壊し、企業や、株式や、土地や、不動産や、年金や、インフラや、水道を外国に売り飛ばしている。

「社会の木鐸《マスメディア》」は権力を監視するのではなく権力の広報となり、内閣支持率や世論調査を捏造し、危険な法案や条約の成立を隠蔽し、周辺国との緊張を煽り立て、改憲の世論形成に狂奔している。

「自由民主」という与党は、共謀罪法や侮辱罪法などの弾圧法を整備し、ファシズム条項の加憲を目論み、「平和の党」を自称する宗教政党はこれに加担し、軍事費の倍増や敵基地攻撃能力の保有を強行している。

「立憲民主（憲法に則る政治を第一とする方針）」を掲げる野党第一党は、偽装野党と提携し、改憲で一致協力するとぶち上げている。さらには「共産主義」を看板とする政党《リベラル》が、現代資本主義の最も無謀な発現形態であるワクチンの接種を（資本家の利益代行者である与党勢力と結託して）推進している。

さらに挙げれば、「代表民主制」を原則とする国会は、民意を集約して法案を作るのではなく、駐留軍や、外国資本や、カルトなどの頂上団体の意向を具現する「利益代表制」の場と化している。

かくも破滅的な状況であるにもかかわらず、国民の理解が覚束ないのは、言葉の意味が正反対に置き換えられ、現実的なパラダイム《認識の枠組み》を共有できないからなのだ。

すなわち我々は同じ言葉を口にしながら、互いがその齟齬《そご》に気付かないというディスコミュニケーション《意思疎通不能状態》に陥っており、このような「共約不可能性」が正常な世論の形成を妨げ、状況を加速度的に悪化させている、と仮説を立てることができるだろう。

かくして本書は前作に引き続き喫緊の問題群《イシュー》を的確な語彙で表す「名辞」の作業を中心課題とした次第だ。言い換えると、これは現代日本の危機を克明に観念化する哲学の仕事である。つまるところ一連の対話篇《ダイアローグ》に収録した言葉たちは、我々を捕獄する「意識の檻」の施錠を解く鍵であり、崩壊の時代を突破するためのコーパス《言葉の集大成》であることを宣言し序文を終えたい。

秋嶋　亮

目次

偽りを述べる者が愛国者と讃えられ、真実を語る者が売国奴と罵られる世の中を、私は経験してきた。それは過去のことだと安心してはいけない。

三笠宮崇仁

⦿第1章

戦争の時代に突入した

アメリカの公共事業としてのウクライナ戦争

聞き手　白馬社編集部

――マスコミは揃って「ロシアの領土的野心がウクライナの侵略戦争を引き起こした」という論調ですが、ウクライナ側にも瑕疵《かし》があるのではないでしょうか。

秋嶋　ウクライナ政府は東部地域での停戦を定めた「ミンスク議定書」を反故にし、8年にも渡り空爆を繰り返していました。また彼らはドンバス地域でネオナチによるロシア系住民の弾圧を幇助していたのです。

――そう考えるとウクライナ側の責任も重大です。

秋嶋　さらにその伏線として2014年の「ウクライナ騒乱」があります。これは親露派のヤヌコーヴィチ政権がクーデターで失脚し、NATO《北大西洋条約機構》の傀儡政権が樹立された事件です。このような体制変化を「間接侵略」と言います。こうして東西の緩衝地帯だったウクライナにNATOの橋頭堡（侵攻の拠点）が築かれたわけです。

――だとすれば、ロシアは安全保障のため今回の措置を取らざるを得なかった。プーチンは戦争するように仕向けられた、ということになります。

秋嶋　ロシアが戦争に踏み切った背景はそれだけではありません。アメリカは、ゼレンスキー政権が発足した頃からウクライナに数千人の軍事顧問団を派遣し、モスクワ向けのミサイルを配備しました。そしてDTRA《アメリカ国防脅威削減局》の主導により、ジフテリア、サルモネラ、赤痢、ペストなどを培養する15箇所のバイオラボ《生物兵器開発施設》を建設しました。そうやってアメリカがロシアへの挑発を繰り返し今回の事態を招いたのです。

――ワシントン・ポストなども、米国がウクライナの生物兵器開発を支援していた件を報じていますからね。

秋嶋　国連の生物兵器禁止条約に違反し、東西の緩衝地帯に紛争の火種を作り、ガソリンを注ぎ続けてきたのはアメリカとウクライナだ、という誹りは免れられないでしょう。インドやブラジルを始め、対ロシアの経済制裁に参加しない国が多いのはそのためです。

――ロシアと言えば軍事大国のイメージですから、どうしても悪者に見られてしまいます。

秋嶋　ロシアのGDPはアメリカの僅か14分の1です。つまりロシアは韓国やスペインなどと大差ない「小国」なのです。しかもNATOと対峙するとなれば彼らは実に30倍以上の戦力を相手にしなくてはなりません。それだけでなく、経済制裁を受けるし、通貨も株式も国債も暴落します。敗戦国になるとイラクのように資源や経済市場も乗っ取られます。だからロシアにとっても戦争は最悪の選択なのです。

――アメリカが絡む戦争の大半が自作自演《マッチポンプ》によって始まっています。

秋嶋　湾岸戦争もそうでした。アメリカがクウェートにイラクのルマイラ油田を盗掘させ、イラクが自国の資源を守るためクウェートに進撃したところで、アメリカは「侵略戦争だ！」と因縁をつけて攻撃したわけです。そもそもアメリカは10年周期で大規模な戦争がなければ、基幹産業である軍需産業を維持できません。20年に渡るアフガン戦争が終結したことにより、どうしても新たな紛争を起こす必要があったのです。はっきり言いますが、ウクライナ戦争も軍事の市場創造《マーケット・クリエーション》のための戦争です。

――ウクライナ戦争は経済プロジェクトとして計画されていたと捉えるべきでしょう。

秋嶋　アメリカには、外国の政府に補助金を与え米国製の兵器を購入させる「軍事直接無償援助」という制度があります。また兵器メーカーが直接兵器を販売する際に、米国政府が相手国に相当の販売代金を与える「相殺協定」という制度もあります。今回ウクライナでもこの措置が取られているでしょう。

――これはどう考えても「アメリカの戦争」です。ゼレンスキーは彼らの手駒に過ぎない。それなのに実態とかけ離れた認識が作られています。

秋嶋　国民はマスコミの偏向報道に惑わされ「理論負荷性」に陥っているのです。「理論負荷性」とは、中立的に物事を見ていると思っていても、実際は狭い知識や与えられた枠組みで見ているという意味です。だからまず自分の認識を疑い、全ての情報を検証のふるいにかけなくてはならないのです。

金融軍産複合体VSプーチン政権という図式

——国会議員が揃ってゼレンスキーのオンライン演説にスタンディング・オベーションしていましたが、あれは不気味な光景でしたね。

秋嶋　そうするよう事前に「指示」があったそうです。そもそも戦争当事国の片方の言い分だけを取り上げることがオカシイわけです。本来であれば、ロシア側の代表にも発言の機会を与え、双方の主張を吟味し、両論を併記した上で日本のスタンス《国家方針》を決めなければならなかったのです。

——ゼレンスキーの演説の中身にかかわらず、ＮＡＴＯを支持することが最初から決まっていたわけです。

秋嶋　その3日前に開催された国連安保理の緊急会合で、ロシアはウクライナのバイオラボ《生物兵器開発施設》がアメリカによって運営されている証拠資料を提出しています。そしてアメリカの国防次官がそれを認めているわけです。

――やはりアメリカがウクライナに入り込んで戦争の火種を作っていたわけだ。

秋嶋　ウクライナの地方行政主要評議会は、ウクライナの全軍がNATOの指揮下にあると告発しています。そもそもアメリカ国際開発銀行が、ウクライナにある15箇所のバイオラボ《生物兵器開発施設》に資金を投じているわけですよ。バイデン大統領の息子であるハンター・バイデンのファンドも、生物兵器を開発するウクライナのメタバイオッタ社に数百万ドルを出資しています。

――イギリスのデイリーポスト紙がその件を詳しく報道していました。

秋嶋　ドンバス地域でのロシア系住民の浄化作戦も（米国のネオコンのシンクタンクである）

ランド研究所の立案に拠ることが暴露されています。だからこの戦争はウクライナVSロシアではなく、金融軍産複合体VSプーチン政権だと捉えなければ、本質は何も見えないのです。

——やはりアメリカがウクライナ戦争を仕掛けたわけです。

秋嶋　ロシアは集団的自衛権を行使して今回の侵攻に踏み切ったわけです。世論の猛反対を押し切って集団的自衛権を成立させた日本政府が、ロシアの集団的自衛権を認めないというのは辻褄が合わないでしょう。

——こういう対談をすると我々が親露派だとか、プーチンの支持者であるかのような誤解を招くかもしれませんが、これは客観的な事実ですからね。マスコミが偏向報道を繰り返しているので、このようなことは非常識だとして受け入れられないのでしょうが。

秋嶋　一連のウクライナ報道は「個分離思考」を仕掛けているのです。「個分離思考」とは、善悪や正邪など物事を極端に二分する思考という意味です。そうやってヒューリスティック《単純な認識の枠組み的》な回路を国民の脳に植え付けているのです。

――ウクライナか、ロシアか、どちらを支持するのか、という二択は全くナンセンスです。

秋嶋　いかなる国家もその本質として分泌する毒があります。だから絶対善の国も絶対悪の国もありません。重要なことは、ウクライナ戦争がなぜ起きたのか、誰がこの戦争を仕掛けたのか、そしてそれが我々日本人に今後どのように影響するのか、それを分析し、仮説を立てることなのです。

――国会議員もウクライナ戦争が起きた本当の原因を知っているけれど、在日米軍の圧力により黙っているしかないのでしょう。

秋嶋　親ロ派のヤヌコーヴィチ政権が極右勢力によって解体されたクーデター事件が、アメリカ国務省の主導であったことが暴露されています。またウクライナのネオナチ集団「アゾフ大隊」の主導によりドンバス地方で1万人規模のロシア系住民が虐殺されたことも世界公然の事実です。ゼレンスキーの後援者であるイホル・コロモイスキーは「アゾフ大隊」の中心人物です。これほど重大なことがゼレンスキーの国会演説に際して全く言及されなかったのです。

――やはり全ては金融軍産複合体《ネオコン》のシナリオ通りに進んでいるのですね。

秋嶋　元ウクライナ大使・馬渕睦夫氏は２０１４年に著した本の中で「ウクライナが東南部のロシア系住民を虐殺すれば、ロシアは保護に乗り出さざるを得ない。ＮＡＴＯはこれを軍事侵略だとして経済制裁を科しロシアを孤立させる。そしてプーチン政権が崩壊した後、欧米の金融資本がロシアの民主化を図るという建前で経済資源を奪う」と、まるで今回の事態を予知していたかのように分析しています。やはり知者には全てが見えていたのです。

グローバル資本がロシアを侵攻させた

――ウクライナ情勢を理解するには、エリツィン体制からプーチン体制に至るロシアの国情を理解しなくてはならないと思うのですが。

秋嶋　初代ロシア大統領ボリス・エリツィンは、旧ソ連邦を共産主義の支配から解放した英雄のように目されていました。しかし、その実像は、膨大な鉱山、油田、ガス田、インフラ、国営企業などを根こそぎ外国に売り飛ばした人物だったのです。

――彼を西側のエコノミック・ヒットマンだと指摘する研究者は多いです。

秋嶋　エリツィンは、これらの出資券《バウチャー》を一旦国民に公平に分配した後、わざと大恐慌を引き起こしました。そして困窮した国民からそれを安値で買い取り、西側のファンドに売り飛ばしたわけです。

――ソ連崩壊のドサクサに乗じてロシアは経済資源をゴッソリ奪われたわけだ。

秋嶋　その後を引き継いで発足したプーチン政権は、外資化された旧国営企業の再国有化を図り、経済資源を取り戻すことでＩＭＦ《国際通貨基金》の借金を全て返済しました。それだけでなく旧ソ連の衛星国の借金も代理返済しています。ところが、このような行為が資源ナショナリズムだと西側から批判され、独裁者という見当違《いな》い汚名《スティグマ》を与えられて今に至るわけです。

――ウラジーミル・プーチンは、民営化という建前で公共資産を略奪するグローバリストにとって宿敵のような人物なのですね。

秋嶋　その意味において、今のプーチンの立ち位置は、欧米に略奪された産業資源を再国有化し（偽装クーデターによって）政権を奪われたスカルノによく似ています。スカルノが倒され、傀儡のスハルト政権が発足してから、油田が欧米の資本に再所有されましたからね。当時のインドネシアでは数百万人の共産党員が虐殺されましたが、それは二度と逆らわないようにするための粛清《パージ》だったのです。

――ロシアの天然資源を取り戻したい欧米資本《グローバリスト》にとってプーチンは邪魔でしょうがないわけです。

秋嶋 ウクライナのオリガルヒ（旧ソ連圏の公営企業を略奪しオーナーになった大富豪）がクリントン財団に莫大な寄付をしていたことが暴露されましたが、この財団はロッキード・マーティン、ボーイング、ノースロップ・グラマンなどの軍事企業が共同で運営するシンクタンクです。だからこうした事情からも、ウクライナがロシアに侵攻を仕向けるような挑発を繰り返していた背景が窺えるでしょう。

――やはりゼレンスキーはアメリカの傀儡ですね。

秋嶋 ゼレンスキーがマイアミに10億円の別荘を所有していることがすっぱ抜かれていますが、ウクライナの平均年収は50万円程度です。一介の芸人に過ぎなかった男が、一体どうやってそんな大金を蓄えたのか？　という話です。ＮＡＴＯのエージェント《工作員》として莫大な報酬が支払われていると考えるのが妥当でしょう。あくまで私見としておきますが。

――欧米のファンドはルーブルを空売りしてボロ儲けしたそうですが、これも計画通りなのでしょう。

秋嶋　彼らは暴落したロシア株やロシア国債も大量に取得しています。ウクライナは武器代金の支払いのため、すでに農地の70％近くを外国に売り渡していますが、これを取得しているのも欧米を本拠地とする多国籍企業です。

――誰が儲かるのかを見れば、この戦争の意味が分かるわけです。

秋嶋　さらにアメリカは凍結した4000億ドルものロシアの資産をウクライナ向けの兵器予算に充てると宣言しています。

――金融軍産複合体はエゲツないことをしますね。

秋嶋　このようにカネの流れを遡及するだけで、ウクライナ危機がグローバル資本と軍産複合体による作劇であることが容易に見て取れるわけです。つまるところ戦争の目的とは資産移転《アセット・トランスファー》なのです。それは戦勝国が敗戦国の資産を略奪するにとどまらず、自国や、同盟国や、関係国の市民の資産をも略奪するスキーム《手練手管》なのです。すでに防衛費の倍増が決定されている通り、我々も重税を課され、社会保障を切り捨てられ、徹底的に収奪されるのです。

「侵略犯罪」と「自衛戦争」をどう見分けるのか

——ロシアがウクライナで行ったとされる虐殺シーンがテレビ放映され物議を醸しています。

秋嶋　ＮＡＴＯ側によるディープフェイク《精巧に作られたＣＧ》であることが専門家によって指摘されています。これはもはや「ハイブリッド戦争」です。「ハイブリッド戦争」とは、情報技術を駆使し関係国の世論を操作する戦争という意味です。かくして我々は「映像リテラシー」を問われているのです。

——何を見せられているか分かったものではありませんね。

秋嶋　一連のウクライナ報道は〝団結して暴虐なロシアに対抗しなければならない〟と視聴者の意識に働きかける「啓蒙放送」であるわけです。

――「ロシアの肩を持つなどけしからん！」という非難が殺到するのでしょうが。

秋嶋　日本は米軍基地が１３０以上も置かれている被占領国です。全てのマスコミが統制・検閲《センサーシップ》されていると考えるべきでしょう。こうして国民の意識統一が図られ、戦時的な「不寛容社会（支配的な意見に合わない者を排除する体系）」が出来ているのです。

――ウクライナに肩入れすることで日本が国威発揚するという異様な状況になっています。

秋嶋　ＳＮＳの界隈でもウクライナ国民に自分を重ねる「投影的同一化」が蔓延しています。これまで日本人が経験したことのない倒錯したナショナリズムが、リアルと電脳の両面で生じているのです。

――政治もそんな感じですね。中立的な意見を言う政党がゼロですからね。野党も揃ってＮＡＴＯの傀儡であるゼレンスキー政権を支持しています。

秋嶋　野党も「領土拡張主義に駆られたロシアがウクライナに侵攻している」という自民党と同じ論調です。つまり彼らも「至近要因」を国民に全く説明しないわけです。「至近要因」とは、戦争の直接的な原因となったNATOの度重なる挑発行為という意味です。また野党は「究極要因」にも言及していません。「究極要因」とは、今回戦争を引き起こした金融軍産複合体《ネオコン》とウクライナ政府との癒着構造という意味です。

――野党がそこら辺を突っ込まないから、どうしようもありません。

秋嶋　共産党の幹部が自ら街宣車で繰り出し、戦意を掻き立てるようなスローガンを記した横断幕を垂らしてロシア批判を絶叫していたわけですよ。そうやってリベラル政党が米国の軍事産業に有利な世論を作っているのです。

――日本の参戦が既成事実化しているのに、野党はこれほどの重大問題を取り沙汰しません。

秋嶋　立憲も、社民も、共産も、ウクライナ問題をロシアによる「侵略犯罪」だとステレオタイプに決めつけています。つまり「自衛戦争」という側面での検証を意図的に怠っているわけです。野党もウクライナ戦争に加担する国民的合意《ナショナル・コンセンサス》の形成に一役買っているのです。

——与野党の協調体制が出来上がっているわけです。

秋嶋　ドンバス地域のロシア系住民虐殺、バイデン一族の出資による生物兵器ラボ、ネオナチによる停戦協定違反、モスクワ向けミサイル配備などによって、ロシアが侵攻を迫られたという事情の一切を無視しています。つまり与党も野党もこのウクライナ問題を「境界領域（金融や経済や地政学など多面的な分野に跨って考察すべきこと）」として全く扱っていないのです。

——現に「ウクライナ側にも戦争責任がある」と言う政治家がいませんからね。

秋嶋　そうやってNATOに加勢することは正しいという「正戦論」を広めているのです。与党も野党も多国間に跨る戦争経済《ウォー・エコノミー》の道具に成り下がっているのです。

——もはや戦前回帰です。昭和と同じ政治体制です。

秋嶋　昭和の翼賛体制下では、ナチス政治をモデルとする「新体制運動」が図られましたが、今の国会も全く同じ状況にあります。そしてこれを強力にプッシュする論壇・財界・メディアのスクラムは「翼賛政治結集準備会（日本の独裁国家化を推し進めた各界の連合）」さながらの様相を呈しています。すでに我々の社会は「戦争前夜」なのです。

「戦争になると真っ先に事実が死ぬ」という言葉の通り

——アゾフ大隊をネオナチだと分析した報告書が公安調査庁のＨＰから削除されました。政府にとって余程不都合だったのでしょうね。

秋嶋　「ナチス主義を掲げる暴力集団がゼレンスキーの権力基盤である」と記載した公安のレポートは、「領土拡張の野望に取り憑かれたロシアがウクライナを侵略している」という物語文脈《ストーリーライン》を破綻させるわけです。つまり公安の報告書によって、日本政府がウクライナを支援する根拠が崩壊するのです。

——だからゴッソリ削除されたわけだ。

秋嶋　そもそもこの紛争が起きるずっと以前から、欧州各国は「ネオナチが正規軍に組み込まれている世界で唯一の国」としてウクライナを非難していました。米国のメディアもウクライナのペトロ・ポロシェンコ大統領がネオナチと一緒に「ヒトラーの敬礼祭」を開催していたことを厳しく批判していました。これを「ウクライナのネオナチ問題」と言います。

――そんなことが無かったことにされているのですね。

秋嶋　日経、読売、毎日などの各紙が「ウクライナ政府はネオナチだという発信はロシア政府のプロパガンダだ」という記事を掲載していましたが、こんな具合に日本のマスコミはホワイトウォッシング《事実の歪曲による宣伝》をやっているわけです。「戦争になると真っ先に事実が死ぬ」という言葉の通りです。

――それなのに政府はゼレンスキー政権の支持を表明しています。

秋嶋　そんなことよりも先に、アゾフ大隊という「交戦団体（支配を確立し外国政府から承認や援助を受ける私兵集団）」がいかなる組織なのかを検証し、国民に説明しなくてはならなかったのです。

――新聞やテレビも全くその件を取り上げません。

秋嶋 結局、日本からウクライナに送られたカネは、欧米の軍事企業から兵器を購入する資金となるわけです。仮に諸々の債務の返済に使われるとしても、それで浮いたカネが兵器の購入に充てられるわけですから同じです。

――ウクライナに募金する人たちは、それが戦火を拡大させるという欺瞞に全く気づいていません。

秋嶋 新聞テレビしか情報ソースのない大衆の議論は「現象論」の域を出ないのです。世間の議論は物事の表面だけを見る上っ面の議論だということです。

――殆どの人はマスコミが提供する以上の知識を持たないですからね。

秋嶋　日本の最悪の黒歴史はナチスと同盟関係を結んでいたことです。すでに装備品の空輸でウクライナの兵站を担い、アゾフ大隊というネオナチ組織と同定されるゼレンスキー政権を援助していることなどからすれば、この国は全く同じ歴史の轍《てつ》を踏んでいるのです。

——日本人は反省的知性に欠けています。

秋嶋　そしてこのような中で「創憲論」が台頭しています。「創憲論」とは、今の憲法は外国に強制されたものだから破棄して自主憲法を作るべきだという詭弁です。このような状況からすれば、今の日本は「政体循環論」さながらです。「政体循環論」とは、民主制↓ファシズム↓民主制↓ファシズムという具合に、体制は交互に繰り返すという論理です。

——支配勢力がマスコミをガッチリ抑えているからどうしようもないです。

秋嶋　「報道しない自由（支配勢力と報道機関が結託し国民に事実を伝えないこと）」によって平和憲法は解体されるのです。日本では「情報政治学（マスコミと権力の関係についての研究）」が根付かなかったから、こんなことになったのです。

――新聞はどれも「改憲賛成が過半数」という世論調査の結果を繰り返し報じています。

秋嶋　それは「スポンサードコンテンツ《財界の広告資金で成る記事や報道》」です。そうやってマスコミは金目で改憲を煽っているのです。だから国民投票は凄まじい「干渉投票」になるでしょう。どういうことかと言うと、支配層は絶対に改憲となるよう、莫大な工作資金を投じ、マスメディアや、広告枠や、知識人や、オピニオンリーダーを買収し、集計作業をステークホルダー《政権関係者》企業に委託し、開票プログラムを改竄するなど万全の体制で臨むわけです。こうなると国民は為す術もないのです。

犬を調教するように国民を調教する

——元々この国のマスコミは政府の宣伝機関ですが、ウクライナ戦争が起きてから、さらに偏向報道が酷くなっています。

秋嶋　あたかも多様な媒体が独自の意見を述べているように見えますが、情報の出所《ソース》は全て同じです。つまり軍事産業と同一の資本下にあるＡＰ、ＡＦＰ、ロイターという僅か三社の通信社から配信されたニュースが元になっているのです。このような寡占的な情報のフローを「循環報告」と言います。

——それにしても毎日うんざりするほど戦争のニュースが繰り返されます。

秋嶋　それを「反響言語」と言います。「反響言語」とは病的に繰り返される言葉という意味です。そうやって「日本もロシアに侵略されるぞ！」という脅迫観念を国民の無意識に刷り込んでいるわけです。

――少し考えれば、除染土の再利用や汚染水の放出の方が、差し迫った問題だと分かるのですけどね。

秋嶋　「非論理的な言葉を何千何万回と反復することにより一つの真理が完成する」という言葉の通りです。ロシア報道に伴う文句が、正常な思考を麻痺させるのです。このように恐怖を煽ることで目的を達成する報道の手法を「恐怖喚起コミュニケーション」と言います。

――ＮＨＫのニュースはその中心的な役割を担っています。

秋嶋　毎日定時にロシアの蛮行をイメージさせる映像を流し、国民の憎悪と激情を駆り立て、論理的な思考を麻痺させるわけです。そうやってＮＡＴＯに加担することが正義だというスキーマ《認識の枠組み》を植え付けている。ディストピア小説『1984年』に出てくる「二分間憎悪《ツーミニッツ・ヘイト》」そのものです。

――なのに国民は意識操作が行われていることに全く気付いていません。

秋嶋　テレビは「オペラント条件づけ（嫌悪感や恐怖感を特定の行動に結びつける手法）」で国民を洗脳している、とも言えるでしょう。

――そうやって、「ロシア」という言葉を聞くと反射的に「悪の帝国」をイメージする脳回路を作っているわけだ。

秋嶋　このような閾下知覚（意識と潜在意識の境界領域下）に作用する番組《プログラム》によって、支配層が目論んだ通りの世論が出来上がるわけです。もっと言うと、一連の扇情的なウクライナ報道は集団の無意識《プシコイド》に作用し、「もはや今の憲法では問題に対処できない。改憲によって乗り切るしかないのだ」という合意を促しているわけです。

――読売、朝日、毎日、日経、産経、ＪＮＮ、ＮＨＫが昨年に実施した世論調査では、いずれも「改憲に賛成」が「改憲に反対」を上回っています。すでに改憲派が主流派です。

秋嶋　それには「サンプル・セレクション・バイアス」という手口が用いられています。「有意抽出」とも言いますが、いずれも自分たちに都合のいい結果が出るよう、標本を抽出して世論調査をでっち上げるわけです。首相動静を見れば、毎週のように総理大臣と新聞社やテレビ局の幹部が会食しています。そうやって宴会の席で世論調査の数字を決めるわけです。

――これほど公権力とマスコミが公然と癒着する国は日本だけでしょう。

秋嶋　そもそも緊急事態条項の危険性が全く国民に知らされていません。つまり改憲の「制度的再帰性」として人権が破綻することが理解されていないのです。だから国民の7割が緊急事態条項に賛成しているのです。これはまさにマスコミが犬を調教するように国民を調教した結果なのです。

報道の自由の死滅が示す日本のナチ化

——インド政府はウクライナ向けの物資を輸送する自衛隊機の受け入れを拒否したそうですが。

秋嶋 ロシア側から見れば、これは事実上の兵站業務《ロジスティクス》ですからね。インドは戦争協力になることを警戒したわけです。

——つまり日本国民はウクライナ戦争に参戦した自覚がなくとも、諸外国はそのように認識していると？

秋嶋　世界は日本がウクライナ・ＮＡＴＯ連合に参加したと見ているわけです。だからすでに日本は事実上の戦争状態に突入しているのです。

――それを如実に示しているのがマスコミです。新聞やテレビの偏向報道は戦時さながらです。まるで昭和のドキュメンタリーを見ているようです。

秋嶋　扇情的なウクライナ報道には「同情論証」という手法《スキーム》が用いられています。これは「ウクライナ人が酷い目に遭っているのに、我々日本人は何もしなくていいのか？」と感情に訴える説得戦術という意味です。

――戦時の昭和のように、マスコミは国民を煽り、戦争に加担するよう仕向けているわけです。

秋嶋　「発生論的誤謬」という印象操作の手法も用いられています。どういうことかと言うと、今回なぜロシアがウクライナ攻撃に至ったのかという背景や伏線については一切触れず「ロシアの侵攻→ウクライナ戦争の勃発」という単純な時間的序列《シーケンス》だけを報じることで、根本的な原因を考えさせないように仕向けているのです。

――確かに国民はロシアが一方的にウクライナを攻撃したと思っています。それに至る経緯が全く報道されていないから、プーチンが侵略戦争を仕掛けたと単純に信じ込まされている。

秋嶋　〝このままでは日本もロシアに侵攻されてウクライナの二の舞になる〟という「FUD戦略」も実行されています。「FUD戦略」とは、恐怖（fear）・不安（uncertainty）・疑念（doubt）の三要素による宣伝戦術という意味です。

――そうやって服従する国民の心性を強化しているわけだ。

秋嶋　恐ろしいことは全国紙や公共放送がこぞって「アゾフ大隊はネオナチではない」という虚偽の報道を繰り返していることです。つまりマスコミは「アゾフ大隊によるロシア系住民の虐殺などなかった」という歴史修正主義《リヴィジョニズム》に邁進しているのです。歴史修正主義《リヴィジョニズム》は独裁国家の特性ですから、日本はとてつもなく危険な状況だと言えるでしょう。

――やはり戦時に匹敵する情報統制が敷かれています。

秋嶋　国会議員がロシアの大使館員を追い出したことを手柄のように語っていますが、これで両国の関係は決定的に悪化しました。本来であれば、説得と対話によって和平に努めることが政治家の務めなのに、真逆に緊張を高めてしまったのです。実は東日本大震災の津波によって福島原発が崩壊した直後、ロシアは避難民の受け入れを申し出てくれていたのです。これは旧ソ連時代にチェルノブイリ事故を経験したことから、事態を重く見たロシア政府の人道的な配慮だったわけです。そんな親日国と断絶した政治の責任は重大です。なのにそんなことが全く報道されません。

――日本の報道の自由度は、もうここ何年も先進国中最悪ですからね。

秋嶋　もはや日本には「検証報道」がないのです。あるのは「発表報道」だけです。「発表報道」とは、政府当局から渡された原稿をそのまま垂れ流す報道という意味です。

――日本のマスコミは北朝鮮の平壌放送と大差ないということです。

秋嶋　防衛費の倍増が決定していますが、この大半が兵器の購入費に充てられます。アメリカの軍事産業は笑いが止まらないでしょう。だから僕はこの一連の動きを「占領行政」だと分析しています。つまりアメリカに統治される日本の政府がアメリカの戦争公共事業《ウォー・パブリック・ワークス》に協力し、さらにはアメリカから兵器を購入するため、国民に重税を課すという図式なのです。

――日本国民のおカネが最終的にアメリカに流れるわけです。

秋嶋　そもそもバイデン政権は、オースティン国防長官（レイセオン社の取締役）を筆頭に軍事産業のステークホルダー《利益者集団》で占められています。彼らの命令によって日本の兵器予算の増大が決められたわけです。

――全ては宗主国《アメリカ》の議会の指示通りだという。

秋嶋　しかしさらに俯瞰すれば、彼らもより上位の権力に支配されているのです。今やS&P500（米国の株価指標となる銘柄）の90％近くがブラックロック、バンガード、ステート・ストリートという僅か3社によって所有されています。軍事産業もこの寡占資本の配下にあるのです。我々の脅威とは、まさにこの不可視な非国家主体なのです。

改憲の最大の受益者は外国人投資家である

――防衛費を捻出するため国債の発行が決まりました。これは事実上の戦争国債と言っていいでしょう。これにより国民の負担がさらに増えます。

秋嶋　国債の償還の方法は、課税、社会保障の切り捨て、国民資産の没収という3通りの方法しかありません。政府が国債費を捻出するため公務員宿舎を売却したり公務員の給与を引き下げるなんてことは絶対しないわけです。つまり国債の受益者であるエリート《学歴階級》は、絶対に身銭を切らないわけです。おっしゃる通り、国民が全ての負担を強いられるのです。

――ウクライナ危機は国債の増刷に上手く利用された格好です。

秋嶋　この戦争は「認知戦」に発展しています。「影響戦」や「世論戦」というのも同じ意味です。要は偽情報やフェイクニュースにより、戦争の当事国だけでなく関係国の民衆を心理操作し、戦争予算の引き上げに合意させる作戦なのです。そうやって、これは仕方がないことだという「信念体系（国民が共有する認識）」を形成するわけです。

――マスコミは「国債を発行して防衛予算を倍増しなければ日本もウクライナみたいになるぞ」という論調ですからね。

秋嶋　ゼレンスキーのオンライン演説は、バラク・オバマのスピーチ・ライターが所属していた米国の広告代理店によって起草されたものです。やはりこの戦争は周到にマーケティングされているのです。社会学でこれを「破壊的メディアイベント」と言います。

――想像を絶する世論操作が実行されているのですね。

秋嶋　繰り返しますが、停戦合意を破り非武装地帯で攻撃を繰り返していたのはウクライナだったわけです。にもかかわらず、この戦争の報道には「ロシアの軍事侵攻」という修辞《レトリック》が常用されています。かくしてウクライナ報道は「事実のように語られる虚偽《フアクトイド》」と化しているのです。

――私の地元では、保育園児がウクライナへの支援活動に駆り出され、駅前で通行人に募金を呼びかけています。これは戦時を彷彿とさせ非常に不気味です。

秋嶋 それを「文教政策」と言います。「文教政策」とは、教育を通じ国の方針を叩き込む政策という意味です。こうして「軍事ケインズ主義（戦争を公共政策の中心に据える思潮）」があらゆる社会領域を侵犯しているのです。

――ところで憲法審査会が開催されていますが全く情報が出てきません。

秋嶋 与野党の談合体制の下で、重大なことが隠されているわけです。だから与党だけでなく、立憲や、社民や、共産も何が審査会で行われているのか発信しないのです。憲法審査会は事実上の密室審議《クローズド・ドア・ポリティクス》です。

――このまま改憲草案が通過し、国民投票に至るのは確実でしょう。

秋嶋 おそらく改憲後には早い時期に緊急事態条項が発令されます。そうなると言論が統制されますから、政権批判や反政府運動は弾圧的に取り締まられます。こうして金融軍産複合体《ネオコン》を頂点とする支配レジームが完成するのです。これがつまり憲法改正という「法律戦」の最大の狙いなのです。

――巷の改憲議論は正鵠《せいこく》を射ていないものばかりです。いわゆる「床屋談義」ばかりになっています。

秋嶋 みんな国家や政治家という論点に終始し、企業や資本という重大要素《エレメント》を勘案しないわけです。それは摩擦や引力を除却した（ないものとして片付ける）物理学のごとき空論です。

――やはり学識がなければ何も分かりません。

秋嶋 繰り返しますが、ウクライナ戦争の受益者となる軍需・エネルギー・金融の主要企業はヴァンガードやブラックロックを筆頭とする投資銀行《ファンド》によって所有されています。さらに俯瞰すれば、その大株主としてエドモンド・ロスチャイルド・ホールディングスという寡占資本が君臨しています。突き詰めると日本の憲法改正の受益者も彼らなのです。

やはり全ては金融によって動いているのです。

◉第2章

金融が平和を解体する

マスコミの詭弁が日本を弾圧国家にした

——憲法記念日に合わせ新聞各紙が世論調査を掲載していましたが、まるで申し合わせたかのように「改憲に賛成」が過半数でした。

秋嶋　何度も言いますが、緊急事態条項の加憲によって基本的人権がなくなることが知らされていないわけです。つまり改憲の最大の問題点が全く周知されていないのです。そうやって情報を遮断した状態で「ロシアが攻めてくるぞ！」と脅かし、リテラシーが低い層を狙って標本《サンプル》を抽出すれば、当然そのような結果になるでしょう。

——侮辱罪が厳罰化されましたが、この詳細についても全く報じられませんでした。拡張解釈すれば政治批判に懲役刑を科すこともできるというのに。

秋嶋　本来であれば、このような危険な法案の成立に際しては「明確性の原則」が適用されなくてはなりません。「明確性の原則」とは、権力者が恣意的に運用し、人権侵害が生じる事がないよう、法案の内容を細かく明確に文章化しなくてはならない原則という意味です。ところが今回そんな手続きが全くなかったのです。それなのにマスコミは、あたかも人道的な法律が適正な審査を経て成立したかのように報じていたのです。

――そもそも侮辱罪の厳罰化は、出演者が過激なセリフで視聴者の反発を招き自死した事件を発端としています。

秋嶋　だから、それはあくまでテレビ局の倫理問題として、放送法の枠組みで扱うべきことでした。それが偏向報道によってＳＮＳの誹謗中傷という問題にすり替えられ、侮辱罪の厳罰化に至ったわけです。これはまさに「回帰の誤謬」です。「回帰の誤謬」とは、原因をでっち上げ、誤った結論に導く詭弁術という意味です。言ってみれば、包丁による殺人事件を金物屋の過失にするようなものです。

――それにしてもマスコミの偏向ぶりは凄まじいです。

秋嶋　かつてNHKは、ウクライナ東部地域のロシア系住民がアゾフ軍に攻撃され、犠牲者が8年間で14000人以上にも達し、81万人がロシアへの避難を余儀なくされたと報道していました。ところが今ではそんな事実などないというスタンス《見解表明》です。そうやって公共放送がナチスの宣伝機関のように「否認主義」を貫いているのです。

――マスコミが軍国化を促しているわけです。

秋嶋　事件のどの部分を切り取り強調するかによって情報の受け手の認識が決まることを「焦点化仮説」とか「フレーミング問題」と言います。結局マスコミはロシアの侵攻という局所の事実だけを報道し、なぜこの戦争が起きたのか問題の核心を不明にすることで民衆を操作しているのです。

――「9条を撤廃しなければ日本はウクライナ化する」と暗に説得しているのでしょうね。

秋嶋　扇情的なウクライナ報道は「改憲しなければ日本も侵略されるぞ」というメタメッセー《誘導するための声》

ジなのです。そしてこれにより「被暗示性亢進（情報を鵜呑みにして言われた通りに振る舞う現象）」が生じているのです。

――これだけ洗脳番組が増えると、もはや手の施しようがありません。

秋嶋　すでにメディアの刷り込みが完成し、国民は「疑似現実」を現実だと思い込まされているのです。「疑似現実」とは音声と映像で捏造された仮想の現実という意味です。

――まさに映画「マトリックス」さながらの状態です。

秋嶋　これが「フレーミング（意図的に事件の部分を切り取り、それを強調して印象操作する行為）」の恐怖なのです。だからこそ我々は「フレーム分析（マスコミが事件のどの部分を切り取り何を強調しようとしているか、そしてそれによってどのように世論を操作しようとしているかの分析）」に挑まなくてはならないのです。

株価の動きを見れば戦争の目的が分かる

——岸田文雄が「国民に決意を求める！」とぶち上げましたが、軍国化の宣言のようでぞっとしました。

秋嶋　〈決意〉という言葉が言外に意味するところは、軍事費を捻出するため重税に耐え、文教や福祉や医療などの予算削減を受け入れ、預貯金などの資産を差し出し、基本的人権の抹消に合意せよということです。つまり〈決意〉という言葉のコノテーション《言葉の裏の真意》とは、総力戦であり国民総動員体制なのです。

——もう戦前に回帰する気満々ですね。

秋嶋　岸田政権は「世論説得」に取り組むそうですが、これはメディア・ナショナリズム《報道機関による国威発揚》を利用し、防衛予算の引き上げに合意させる狙いなのでしょう。

――すでに新聞やテレビはそのような動きです。

秋嶋　ここで注意すべきことは、中国が脅威だから防衛力を強化するのではなく、防衛力を強化するために中国を脅威と位置付けていることです。政府とマスコミは台湾情勢や尖閣を巡る摩擦をことさら大問題のように言いますが、これはもう何十年も前から燻り続ける火種であり、今に始まったことではありません。そもそも国境線を接する国同士の牽制やいざこざは日常茶飯事であり、改憲や敵基地攻撃能力の保有の根拠としては余りにも希薄なのです。つまりこれは作為的に誤った認識を議論の土台に据える「不当前提（論点先取）」という詭弁術なのです。

――この国の防衛議論はイカサマということですね。

秋嶋　それにしても最大の貿易相手国である中国に対し、ミサイルを配備するなんて全く気が狂った話です。今後は日中関係の悪化があらゆる産業分野に波及し、貿易収支は大きなマイナスになるでしょう。それだけでなく中国での生産が滞り、サプライチェーンが崩壊すれば、日本経済がさらなる縮小に向かうことは避けられません。こうして不況が恐慌に発展し、軍需に打開策を求める悪循環に陥るのです。

――中国もロシアも日本が軍拡すると、対抗せざるを得ないでしょう。

秋嶋 そうなると日本と周辺国はカウンターテロリズムの応酬となり、局地的な衝突が避けられなくなります。おそらくこれが当初からのシナリオなのです。

――全体の絵を描いているのは外国の勢力《ネオコン》です。

秋嶋 その意味において、ウクライナと日本は、同じ型の支配に服しているのです。

――そこら辺をもう一度整理して解説して下さい。

秋嶋 ウクライナでは親ロ派のヤヌコーヴィチ政権が、アメリカ国務省の首謀によるクーデターで解体されました。そして傀儡として置かれたゼレンスキー政権がモスクワ向けのミサイルを配備し、ロシアがこれに対抗する形で侵攻し、今回の戦争が勃発したのです。日本でも（アメリカの年次改革要望書を破棄した）鳩山政権が在日米軍の首謀による国策捜査で解体されました。そしてそれ以降の政権が全て傀儡化し、周辺国向けのミサイルの配備を決定し、一挙に緊張を高めているわけです。

――なるほど。全く同じですね。

秋嶋　ウクライナでも日本でも実権を握っているのは、政府ではなく、アメリカの金融軍産複合体です。大統領や総理大臣は彼らの末端装置《エンドポイント》に過ぎません。こうして大陸を隔てた二国では、全く同じ支配体制によって軍国化が図られているのです。

――これにより欧米の兵器メーカーの株価は軒並み上昇しています。

秋嶋　戦争で恩恵を受けるのは軍事だけではありません。建設業も莫大な利益を得ます。イラクでは復興事業の9割が米国のゼネコンに発注されましたが、ウクライナでも必ずそうなります。だから米国のゼネコンの株価は軒並み伸長しています。中でも政権と繋がりの深いハリバートンの株価に至っては、開戦前に比べ実に200%も上昇しています。これはまさに、株価には全ての事情が反映されるという「効率的市場仮説」の証明なのです。

――バイデン政権の閣僚の全員が利害関係者《ステークホルダー》ですから、笑いが止まらないでしょうね。

秋嶋 それだけではありません。ロシア産のエネルギーが各国で禁輸となったことから、シェブロン、シェル、エクソンモービルなどの株価も時を同じくして（ロシアの侵攻を起点として）伸長しています。つまり「アメリカが戦争する時は、軍事と、建設と、エネルギーが共同して動く（それによって三者が利益を確定する）」という定式通りなのです。

――この戦争が経済プロジェクトとして計画されていたことはもはや疑いありません。

秋嶋 今回アメリカが東欧と極東で戦争を仕掛ける最大の事情は、トランプ政権が債務上限法を取っ払い史上最高額の軍事費を積み上げ、アメリカを超債務国化させたことだ、と僕は分析しています。つまり彼らは天文学的な債務を解消するために戦争を引き起こし、自国の軍需と、金融と、建設と、エネルギー産業に利益を誘導し、これによって各国から投資マネーを集め、基軸通貨としてのドルを絶対化する目論見なのです。つまり強大な軍事力によって覇権国体制《ヘゲモニー》を維持し、通貨や、国債や、株式という紙切れで、世界中のカネをかき集める仕組みを堅持する方針なのです。

――いよいよ全体の構造が見えてきました。一つ一つの出来事が整合的に繋がります。

秋嶋　第二次大戦は、世界恐慌で疲弊したアメリカ経済を建て直すための事実上の公共事業でしたが、今の状況は瓜二つです。だとすればウクライナの復興計画は現代版マーシャル・プラン（米国が欧州の復興支援で莫大な利潤を上げたプロジェクト）であり、日本VS中露という極東のマッチメイクも当時の再現に他なりません。これがつまりトランスナショナル・ヒストリー《全ての関係国に跨る歴史観》から導き出される「強い仮説」なのです。

平和とは戦争と戦争の幕間

――立憲と維新の提携が発表されましたが、全くイカれた話です。

秋嶋　彼らは当初「防衛増税に反対するため」と説明していましたが、舌の根も乾かぬうちに「憲法議論でも一致協力」すると宣言しました。これはもはや現代の「翼賛議員同盟」です。

――これに気付かない支持者もどうかしています。

秋嶋　立憲民主党が掲げる立憲主義とは、憲法を最大限に尊重した政治を行うという意味です。

これに対し維新の会の方針は、今の憲法は外国から押し付けられた不当な憲法だから独自の憲法を制定しなければならない、という創憲論です。そもそも維新の改憲案は自民党の改憲案です。そしてそれは勝共連合（統一教会）によって起草されたことが指摘されています。にもかかわらず立憲民主は維新と改憲問題で協力し合うというのです。

――とんでもない背信行為です。本来であれば、立憲はカルトが改憲案を起草した問題を徹底的に追及する立場です。野党の役割を全く果たしていません。

秋嶋　維新の会は自民党と根を同じくする偽装野党です。これがどういうことかと言うと、護憲を党規とする野党第一党が、改憲を目論む与党の補完政党と手を組むということです。これは日本の憲政史上最悪のオーバーラッピング・コンセンサス《異なる政治的立場の者の合意》と言えるでしょう。

――立憲は敵基地攻撃能力の保有でも自民に協力しています。もう完全に護憲政党の体裁をかなぐり捨てています。

秋嶋　「ダウンズモデル」によると、二大政党制では談合が常態化し、かえって与野党の政策差が無くなるとされます。日本の政治状況はまさにこの理論さながらです。これまで幾度か民主党が政権を取りましたが、それは結果として与野党の相互浸透を深めただけだったのです。

――与野党の癒着はもう公然だと言っていい。彼らの談合によって平和憲法も解体されるでしょう。

秋嶋　本当の「制憲権（憲法制定権力）」は国会ではなく、国会の上部にある駐留軍の合同委員会にあります。しかしファサード・デモクラシー《植民地の見せかけ民主主義》体制においては、「国民の代表である国会議員が改憲した」という既成事実を要するのです。つまり、これから起きる軍国化の惨害を国民に帰責させるためには、「憲法は国民が選んだ政治家によって改正された」という修辞操作を要するのです。これがつまり真の有責者を追及させないための支配原理《アルシェ》なのです。

――それにしても改憲の根拠である中国脅威論は、余りにも幼稚で馬鹿げています。

秋嶋　政府とマスコミは、領土的な野心に駆られた中国が今にも台湾を足場に日本を侵略するような論調です。しかし、市場国家化に成功し莫大な資本を蓄えた彼らは、他国の領土化に軍事力を行使する必要などありません。

——そこら辺を詳しくお願いします。

秋嶋　すでに中国はアジア、アフリカ、オーストラリア、中南米などの諸地域で膨大な土地を購入しています。彼らは食糧を増産するためだと言ってますが、そうやって世界中の農地を買うことで、合法的に領土を拡大しているわけです。中国は日本でも静岡県を超える面積の森林や、湧水地や、防衛の重要地域や、港湾施設を購入しています。つまり彼らは軍事の主力を兵器ではなく資本に置き換える「超限戦」を展開しているのです。

——これではいくら防衛費を引き上げ、ミサイルを配備したところで全く意味がありません。

秋嶋　実は2020年の参院でこの問題が取り上げられていました。それにもかかわらず政府は、外国による土地や、水源や、企業や、株式や、国債の取得を規制せず、外資による政治献金も禁止しなかったのです。それどころか中国人の植民を推進し、専用校を開校し、円安に乗じ膨大な不動産を取得させ、挙げ句に参政権すら与えようとしているのです。

――国会議員が外国から献金を貰っているわけですから、どうしようもありません。むしろ国を差し出そうとしている節さえあります。

秋嶋 憲法改正も軍産複合体《ネオコン》の要請に応え、地位を保障してもらうための手続きに過ぎません。だから防衛増税で国民が苦しもうが、日本が戦争国家化して破滅しようが、彼らにとってはさしたる問題ではないのです。

――いい加減これが日本の政治家の本性だと国民は気付かなくてはなりません。

秋嶋 先の大戦では300万人の生命が奪われ、2発の原爆が投下されるという人類史的災禍を経験しながら、日本に「戦争社会学（軍事がどのように社会に影響をもたらすかの学究）」が根付かなかったのは、自衛隊が軍隊と見なされず、長期の平和が続いたことによるとされます。結局戦後とされていた時間は「戦間期（次の戦争の準備期間）」であり、我々は新しい戦前を戦後だと錯覚していたに過ぎないのです。

戦争のための制度調整の過渡期に入った

――周辺国向けのミサイル配備が決まりました。これで日本は軍事国家に大きく前進します。

秋嶋　「中露や北朝鮮から攻撃される場合に備える」と言いますが、要するに専守防衛という自衛隊の大原則を取っ払い、戦争を可能にするための措置です。

――なのに野党は大して反対しませんでした。またも与野党の出来レースで大変なことが決められてしまいました。

秋嶋　本当に国防を慮《おもんぱか》るのであれば、軍事費を引き上げるよりも先に、国土沿岸にくまなく配置された50数基の原発を廃炉にしなくてはなりません。そして外国による土地や、不動産や、インフラの取得を規制し、食料自給率を引き上げなくてはなりません。

——現に人民解放軍の幹部は「もし日本と戦争になれば原発を攻撃する」と言っていますからね。

秋嶋 要するに政治家の誰一人として本気で国防を考えておらず、兵器予算を引き上げたいだけなのです。三菱重工を筆頭とする兵器メーカートップ10社が、自民党の政治資金団体である「国民政治協会」に1億円規模の献金をしていますから、なんとしても予算を倍増しなくてはならないわけです。

——そんなことも全く報道されません。

秋嶋 マスコミは中立的な立場を装っていますが、社説などは概ね「軍拡路線は懸念されるが、周辺国との緊張が高まる現状では仕方ない」という論調です。そうやって国民は記事調《パブ》に作られた《リシテイ》宣伝に教化されているのです。

——すでに各社の世論調査では改憲賛成が過半数を占めています。

秋嶋 ウクライナ戦争、北朝鮮のミサイル、台湾情勢などの扇情的なニュースがまんまとフラグ(改憲に拒絶反応を抱かせないための仕掛け)として機能しているわけです。こうして「防衛費の引き上げや改憲は妥当である」という大筋の合意《ラフコンセンサス》が形成されていくのです。

——いよいよきな臭くなってきました。

秋嶋 日本会議を筆頭とする「復古主義者」の思惑通りに事が進んでいます。「復古主義者」とは戦時体制への回帰を目指す者という意味です。彼らの頭上に金融軍産複合体《ネオコン》という圧力団体があることは語るまでもありません。愛国や国防を叫ぶ者たちは、外国の金融集団と武器商人の手先だったというオチです。

——その情けない姿が日本の右翼や保守の実像です。

秋嶋 防衛予算の倍増が決定しましたが、日本の国会でこの方針が示された昨秋頃から、ノースロップ・グラマン、ボーイング、ロッキード・マーチン、レイセオン、ハネウェルなどの株価が爆上げ状態でした。防衛費の半分近くがこれらの軍事企業の兵器の購入に充てられるため、その期待から急上昇したわけです。

――防衛費の倍増が誰のため、何のためなのか一目瞭然です。

秋嶋　このような先鋭化したシェアホルダー・キャピタリズム《投資家の利益だけ重視する資本主義体制》が外圧となり日本を再軍国化させているのです。さらに言えば、宗主国《アメリカ》の「逆全体主義」が日本に波及しファシズムを惹起しているのです。「逆全体主義」とは、本来であれば政府の監督下に置かれるべき企業と資本が、逆に政府を支配下に置く体制という意味です。

――やはりウクライナ戦争のシナリオを書いたのも彼ら《ネオコン》でしょう。

秋嶋　繰り返しますが、NATOはウクライナに戦費や兵器を提供するだけでなく、特殊部隊、作戦運用要員、兵站要員、技術支援要員を派遣しています。つまりこの紛争は事実上の第三次世界大戦の様相を呈しているのです。

――だとすれば、戦争が極東に飛び火した場合、日本の自衛隊は集団的自衛権の枠組みで自動的に動員されます。

秋嶋　だからそれを前提として防衛予算の倍増が図られ、改憲が着手されているわけです。その意味において現在は戦争のための制度的調整の過渡期なのです。

――この流れを変えることはできませんか？

秋嶋　「経路依存性」という言葉があります。「経路依存性」とは、明らかに間違ったことでも、これまでの出来事の経緯によって修正できないという意味です。今の日本はまさにこの状況です。これを変えるのは余りにも困難なのです。

日本のカネと若者をアメリカの軍事産業に捧げるのか

――日本は軍国化にドンドン加速していますね。

秋嶋　これは不測の事態ではありません。今起きていることは「グローバリズムは戦争国家を目指す」という定理の通りなのです。つまり多国籍資本が民主制という軛《くびき》を外し、弾圧的な振る舞いによって自己増殖を最大にする営みが、戦争国家というグローバリズムの完成形なのです。

――その見解には「救われようがない！」と批判が殺到するでしょうが。

秋嶋　しかし15回にも及ぶ安保の実務者協議の議事録は非公開でした。そしてこのような密室議会によって、防衛費の倍増や、敵基地攻撃能力の保有が決定されました。こうして一連の政策形成過程を点検すれば、すでに軍事独裁政治が始まっていることが分かるのです。

――中国とロシアは日本の軍国化に警戒を強めています。対抗的に軍備を増強することは確実でしょう。

秋嶋　そうなると日本はさらに軍事予算を引き上げ、互いが際限なく軍備を増強するチキンゲームに陥ります。むしろこうした野放図な軍拡競争が当初からの狙いであり、金融《ネ》軍《オ》産《コ》複《ン》合体のシナリオなのです。現に前アメリカ国防長官のマーク・エスパーが、岸田政権に防衛費の倍増を指示したことが暴露されているわけです。

――この次には徴兵制が要求されるのかもしれません。

秋嶋　成人年齢が18歳に引き下げられ、学費の高額化により3人に2人が学資ローンを利用しています。大学を卒業すると同時に数百万円の借金を負わされるわけです。経済的徴兵という若者を戦地に送るシステムが出来上がっているのです。

――アメリカのように貧困層が進んで軍隊に入る仕組みが、すでに日本でも作られているのですね。

秋嶋 もっと言えば、アメリカが日本に大量の兵器を購入させ、若者を戦争に動員し、逐次にアメリカ製の兵器を消費させるサプライチェーンが完成しつつあるのです。

――酷い話ですが現実に起きていることです。

秋嶋 ロッキード・マーチン、レイセオン、ジェネラル・ダイナミクス、ノースロップ・グラマンなど、軍事企業のCEOの報酬は軒並み20億円を超えます。そしてその何十倍ものマネーが投資家に配当されます。つまり政府がアメリカ製兵器を購入することで、日本の社会資本や個人資産が彼らに移転する図式です。これがまさにR・ライシュの言う「グローバル・ウェブ《世界中に張り巡らされた搾取の網》」なのです。

――なのに国民は何が起きているのかすら分かっていません。

秋嶋　ここで考えなくてはならないことは、日本はスタグフレーション（所得が減少する中で物価が高騰する現象）と、スクリューフレーション（食料とエネルギーの高騰により中間層の生活が圧迫される現象）という二重の災禍に見舞われる状況で防衛増税を強行することです。

――つまり政府は、絶対に減税しなくてはならない局面で真逆に増税するわけだ。

秋嶋　こうなるとさらに個人消費が後退し、企業経営が悪化し、失業や、倒産や、自殺が激増します。そこで国民の不満を解消するために用いられるのが「排中律」です。つまり「このまま中国やロシアに侵略されるか、国防費を倍増し対抗するか、どちらかを選べ」と極論を突きつけ、それ以外の軍縮外交などの手段はないとする二値論理を用いるわけです。

――新聞やテレビもそんな二択の論調ばかりです。

秋嶋　政府とマスコミが一体となって国民をミスリードしているのです。こうして日本がウクライナのようにならないためには増税を受け入れ軍国化するしかない、という「共通概念」が形成されているのです。

ペンタゴン・キャピタリズムが国民のカネを奪い尽くす

――日米政府が安保の強化を声明しました。

秋嶋　アメリカが自衛隊を指揮下に置き戦争に動員するという宣言です。実はそれに先立ち「安全保障協議委員会」で米軍と自衛隊の一体化が合意されています。岸田総理とバイデン大統領の会談は、それを事後的に承認する儀式に過ぎなかったのです。

――日本の軍国化が決定的になったのですね。

秋嶋　今後は米軍と自衛隊の弾薬庫地区の共同使用や、与那国島の駐屯地でのミサイル部隊の配備や、鹿児島の馬毛島《まげしま》での基地建設などが進められます。こうなると日本の軍国化に歯止めはかけられません。

――日本は実質として開戦の準備体制に突入しているわけです。

秋嶋　アメリカの軍事産業は選挙を始め政界工作に年間約1・5兆円の資金を投じています。つまり米国はネオコンの支援で当選した政治家が（アメリカ安全保障センターやランド研究所などの）軍事系シンクタンクの指示通りに内政外交を行うという仕組みなのです。

――一般の人々は国の指導者によって戦争が決定されると考えていますが、そうではないということです。

秋嶋　金融と軍事に跨るコングロメレーション《巨大で不可視な集合体》が真の意思決定者であり、政治家はその末端に過ぎないのです。海外ニュースはジョー・バイデンが初期の認知症であることを示すような映像を度々放送しますが、これは宗主国《アメリカ》のトップがネオコンの発話機械に過ぎないこと（自分の頭では何も考えず言われたことに従うだけの人形であること）を言外に物語っているわけです。

――日本の政治家も同じです。だから総理大臣や閣僚が代わっても、皆同じことをやります。

秋嶋　ＣＳＩＳ（アメリカ戦略国際問題研究所）が日本政府に改憲を要求していたことが暴露されている通り、日本の軍国化が外圧によることは議論の余地すらありません。

――国民は莫大な軍事予算を捻出するため重税を課されます。

秋嶋　外務省ルートで外国に戦費を送ることも決まっています。だから今後は防衛予算だけでなく、外交予算という科目でも軍事費が上乗せされるわけです。これはさらなる死荷重となって国民にのしかかるでしょう。

――税金や保険料が引き上げられるだけでなく、年金や、医療や、介護や、文教などの予算も徹底的に削減されます。

秋嶋　ちなみに今年の10年物国債の入札に際し、表面利率（毎年支払う利子）が０・２％から０・５％に引き上げられました。これは長期金利の上昇を受けた措置（投資マネーが預金よりも国債に流れるようにするための施策）ですが、表面金利が倍増するということは、償還費に含まれる金利が倍増し、それが国民の負担になるということです。

――倍になった国債の金利がそのまま課税されるわけですね。

秋嶋　すでに国の債務は１３００兆円に達していますが、今後これに防衛国債とコロナ対策の特例国債が加われば、数年後に１７００兆円を超えるのは確実です。そうなると国民負担率（所得に占める税金と保険料の割合）は60％を超えるでしょう。

――マイナンバーと口座の紐付けが唐突に宣言されましたが、これは国民資産を凍結するための前措置なのかもしれません。

秋嶋　来年《2024》の新円切替（旧札を使えないようにして持金をあぶり出す政策）はそのダメ押しです。マイナンバーが導入されて以降、故人の口座が直ちに凍結されるケースが相次いでいますが、今後は相続税だけでなく（天文学的な国債の償還のため）諸々の税金が強制的に引き落とされると思います。

——財政状況を考えると、増税だけでは到底追いつきませんからね。

秋嶋　改憲となり緊急事態条項が発令されたら、有事法制の枠組みで緊急防衛税を成立させ、即時に徴収することも可能です。

——むしろそれが当初からの狙いなのでしょう。

秋嶋　戦争は国民のカネを越境的な僭主に付け替える手段であり、マスメディアが煽り立てる中露脅威論は、日本におけるペンタゴン・キャピタリズム《米国型戦争資本主義》を不動にするための地政学的デリュージョン《妄想体系》なのです。

軍国化議論と安楽死議論がセットの恐怖

――このところ新聞や週刊誌などが、申し合わせたかのように安楽死の問題を取り上げ、法制化を促すような記事を掲載しています。過日には著名人が「高齢者は集団自決すべき」と発言し物議を醸していましたが、これも安楽死キャンペーンの一環ではないでしょうか？

秋嶋　一般に尊厳死は難病の末期や老衰における（苦痛を回避するための）緩和医療の領域においていて、宗教や、倫理など諸々の価値尺度に照らし議論すべき問題です。ところが今日本で生じている尊厳死の議論は、「貧乏な高齢者は楽に死なせてやれ」という信じられないほど非人道的な文脈に基づいています。つまり論争の土台が狂っているのです。

――それに先立つ福祉の議論が意図的に見過ごされているわけです。

秋嶋　だから僕にはこれがナチ的な制度デザインに思えて仕方がありません。そもそも高齢者が生活苦に陥っているのは、年金財源が財政投融資（天下り団体の借り入れ）で不良債権化したこと、養老税として導入された消費税が大企業減税に注ぎ込まれたこと、残り僅かな積立金が株式運用という名目で米国の投資銀行に奪われたこと、などによるのです。

――ところがそのような事情には一切触れず、高齢者を安楽死させろと暴論をまくし立てているという。

秋嶋　これはいよいよ日本が理性《ディアノイア》と人倫が潰えた畜群社会に突入したことを示唆しています。こうなると良心はノイズに過ぎません。

――安楽死は軍国化とセットではないでしょうか？

秋嶋　兵器予算を捻出するために社会保障費を抑制する狙いである可能性は高いです。だとすれば、いずれは高齢者だけでなく、障害者や、失業者や、受刑者や、薬害の後遺症で苦しむ人々など、支配層が「社会のお荷物」と認定した全ての層が標的になるでしょう。これはまさにミシェル・フーコーの言う「生政治《ビオポリティクス》」の現代的実践です。

――政府が国民の生殺与奪の権を握るなんて、絶対許されることではありません。

秋嶋　すでにその前措置として、重度心身障害者福祉年金の休止、障害者の医療費助成や重度障害者手当の削減、特別支援学校予算の半減などが着手されています。このところSNSでは「高齢者の年金や医療費が嵩み現役世代を圧迫している」という投稿が多く寄せられていますが、これは世代間対立を煽り、年金制度が破綻した真の原因に言及させないための言説戦略です。社会学で言う「嫉妬の政治」が行われているわけです。

――「いくらなんでも国はそこまで酷いことをしない」と反論されるでしょうが。

秋嶋　しかし現実として、今政府がやろうとしていることはナチスの「T4作戦」の焼き直しです。そもそも政体の構造を見れば、当時のドイツも今の日本も、アメリカを本拠地とする同じグローバル金融を戴いているのです。

――日本の政権とナチスが同じ構造だということですか？

秋嶋　その通りです。日米合同委員会の統帥である金融コングロマリットは、ドイツを再軍備化させた「ドーズ会議（米国の投資銀行の連合会議）」の系譜です。こうして時空を超えた現代という次元で、ナチスと同じ論理と手法による政策が図られているのです。

――それにしても、よくもまあこんな酷いことができますね。

秋嶋　支配人種の行為の根底には「スピィーシィーズィズム（優れた種は劣った種を家畜として扱ってもかまわないという思想）」があります。彼らがキリスト教やユダヤ教を奉じる理由は、このような主義《エートス》と、全ては聖書の論理に則り正しいことなのだという「予型論」が支配に好都合であるからに他なりません。だからこそ国民はここで覚醒し、猛烈に反抗しなければならないのですが、マスメディアによって脅威の元を見失い（米国を本拠地とする金融軍産複合体ではなく中国や、ロシアや、北朝鮮が日本の敵だと信じ込まされ）未だ眠ったままの状態なのです。

「戦争の宣伝のプロ」が動員されている

――相変わらずマスコミが「改憲は当然」のような論調の報道を繰り返しています。

秋嶋　憲法審査会で参考人として招かれた民放連の理事は「放送事業者の表現の自由に法令で規制をかけることは望ましくない」と述べ改憲のCM規制に反対したそうです。

――「カネさえ積めば世論を改憲に誘導してやるぞ」というマスコミの宣言ですね。

秋嶋　何度も言いますが、ウクライナの戦争報道はサブリミナルな改憲CMなのです。そうやって「改憲しないと日本も侵攻されるぞ！」という脅迫観念を視聴者の無意識に刷り込んでいるわけです。このように宣伝と気取られない宣伝を「ネイティブアド」と言います。

――すでに「改憲は仕方ない」という風潮が出来つつあります。

秋嶋　戦争関連のニュースには「スプリッティング」という技法が用いられています。これは物事を極端に二分して捉えさせる編成という意味です。そうやってヒューリスティック《単純な認識の枠組み的》な回路が国民の脳に形成されるのです。

――「悪の帝国ロシアと民主国家ウクライナが対決している」と単純に考えさせられているわけですね。

秋嶋　何度も言いますが、そうやってマスコミは「日本も侵攻されかねないから、今の内に軍備を増強しなければならない」と合意を促しているわけです。新聞テレビは戦時復古主義《リアクショニズム》の旗手と化している、と言っても過言ではありません。

――国民は易々とマスコミに操作されます。こうなると改憲は決定的と言ってもいいでしょう。

秋嶋　不気味なことは、それに先行して戦時的な道徳律《モラルコード》が形成されつつあることです。

――具体的にどういうことでしょうか？

秋嶋　今や街場の至る所にウクライナ向けの募金箱が設置されていますよね。しかし、それは「カネやモノだけの支援ではいけない」、「日本の若者も共に戦うべきだ」、「自衛隊を派兵すべきだ」、「日本も周辺国の侵略に備え徴兵制を導入しなくてはならない」といった具合に、自己犠牲を強いるような時代空気を醸成しているわけです。

――現に与党や財界はそのように煽っています。それにしても、このような危機的状況においてすら、野党から全く対抗的な意見が出てきません。

秋嶋　改憲の危険性に言及しないことが、与野党間で不文律化しているのです。そうやって立憲も、国民も、社民も、共産も、自民党の改憲案に記された緊急事態条項が、ナチスの授権法と同定されることに全く触れないわけです。

――改憲のヤバさを積極的に発信している政治家はいません。たまにツイッターなどでボソボソいう程度です。

秋嶋　顰蹙《ひんしゅく》覚悟で言いますが、今ある野党は全て偽装野党です。だから国会には憲法改正の「動機審査」がありません。本当の野党がゼロだから、今なぜ改憲が発議され、何が行われようとしているのか、その背景に何があるのか、そんな重要なことについての分析と周知の作業が全く無いのです。

――マスコミも改憲の危険性について一切報道しません。それどころか新聞テレビは、改憲によって国民の安全が保障されるかのような報道を繰り返しています。

秋嶋　ウクライナ戦争の報道に際して、WPPグループ、オムニコム社、ピュブリシス社などを筆頭に、150社もの広告代理店が動員されています。日本政府も内閣広報室に電通から出向者を受け入れています。そうやってアメリカ率いるNATO軍が絶対の正義だというイメージを刷り込んでいるのです。

――湾岸戦争やイラク戦争の時と同じ広告の手法が用いられているわけです。

秋嶋　今や公共放送も、民放も、全国紙も、地方紙も、系列のラジオ局や出版社もこの宣伝体制に与し、改憲だけが（周辺国の脅威やコロナの蔓延から国民を守り）安定をもたらすという共通認識を作っているわけです。

――第二次世界大戦の時代と同じように、マスコミが戦争の道具になっているのですね。

秋嶋　これが日本の再ファッショ《独裁体制》化に向けたワークフロー《報道の役割分担》なのです。平和憲法はこのようなマーケティングミックス《宣伝媒体の組み合わせ》によって解体されるのです。

第3章

カルトの支配は終わらない

投資銀行が日本にミサイルを発射する

――安倍晋三の銃撃事件や国葬騒動も、すっかり過去の出来事になりました。

秋嶋　次から次へと派手なニュースを入れ替え、沸騰↓沈静↓沸騰↓沈静の繰り返しで撹乱することを「アジェンダ爆発」と言います。そうやって主流議題を入れ替え、国民を注意散漫にすることが支配の方式なのです。要はセンセーショナルな話題で間断なく大衆を刺激し、本当に重大な問題を分からなくさせるわけです。

――その中でも北朝鮮のミサイル騒動はレギュラーの扱いです。

秋嶋　北のミサイルは短期間で軍需を喚起する「ショック・セラピー《衝撃療法》」の道具なのです。言い換えると、一連のミサイル報道は「スケアモンガリング《危機感で煽る心理操作》」なのです。そうやって「ならず者国家が日本にミサイルを発射しているのだから防衛予算を倍増するしかないのだ」と繰り返し教化しているわけです。

――どう考えても日本と北朝鮮は連携《コラボ》しています。北のミサイルはいつも決まって自民党の法案を後押しするような絶妙のタイミングで飛来します。これは絶対偶然ではありません。

秋嶋　元防衛相が「統一教会が日本人から巻き上げた資金が北朝鮮の核開発に使われている可能性がある」と発言していますが、これは要するに与党の内部告発なのです。ちなみに欧米の莫大なマネーが北朝鮮の工業団地や、経済特区や、資源開発や、インフラ整備に投資されていますが、これらの事業はミサイル発射が相次ぐ中でも凍結されていません。経済制裁なんて掛け声だけなのです。

――そしてまんまと北朝鮮の脅威を根拠に、防衛予算の引き上げや敵基地攻撃能力の保有が決まりました。

秋嶋　それがこの国の「行為体系」なのです。「行為体系」とは目的と手段の図式という意味です。

――国防という建前ですが、本当の動機は経済《カネ》です。

秋嶋　自衛隊の兵器購入の窓口である「防衛装備工業会（旧・日本兵器工業会）」は戦後アメリカの主導で発足しました。そして今やこの会員企業の大半が外資化しています。つまり防衛費の倍増により外国人投資家の配当が倍増する仕組みなのです。

――やはり防衛費の引き上げは国会の遥か頭上で決定されていたのですね。なのに国民はこれを全く理解していません。

秋嶋　国防費の倍増はアメリカ率いるNATO《北大西洋条約機構》の要請でもあります。その意味において、一連のミサイル騒動は金融軍産複合体《ネオコン》の「広報戦術」と言えるでしょう。

――全てが国境を越える経済の枠組みで動いているわけだ。

秋嶋　この問題は軍需企業とそのオーナーである「純粋持株会社」の利潤行動という視点から捉えなくてはなりません。「純粋持株会社」とは、自らは事業を行わず株式の所有により企業を支配するファンドという意味です。繰り返しますが、ブラックロック、バンガード、ステート・ストリートなどの投資銀行が、越境的な戦争経済《ウォー・エコノミー》の中核にあるのです。

――防衛費の引き上げにより、庶民の暮らしはさらに逼迫します。

秋嶋　社会資本はトレードオフの関係にあります。防衛費を増額した分だけ国民サービスは必ずカットされます。だからその不満を「北がミサイルを発射するから仕方がないのだ」と抑え込むわけです。

――すでに国民はそんな風に説得されていますからね。

秋嶋　消費税率の15％化や走行税などがぶち上げられていますが、結局これらも兵器予算を捻出するための措置です。こうして社会資本を、福祉や、医療や、文教や、産業の育成に使う「賢明な支出《ワイズ・スペンディング》」が殺されるのです。

日本を破滅させた人物が殺されて英雄になった

——安倍晋三が銃撃され亡くなった際、テレビ各局は特番を編成し、やたら美化していましたが、あれは人治国家のような薄気味の悪さでした。

秋嶋　彼は日本の憲政史上最悪の政治家です。安倍政権下でのＧＤＰ下落率、自殺率、失業率、公的債務、税収、生活保護、不良債権、出生率、貧困率、犯罪率などのメルクマール《政治の評価の指標》はいずれも歴代ワーストです。

——なのにマスコミは大絶賛していたという。全く開いた口が塞がりません。

秋嶋　しかも安倍晋三は派遣法の改悪により勤労者の半分近くを貧困に沈め、ＴＰＰやＦＴＡの加盟により主権を放棄し、民営化により森林や水道を外国に叩き売り、経済特区により主要都市を外資の租界《エンクレイヴ》にさせたのです。

――そんな人物が長期政権を担っていたわけですから、日本が衰退するのも当然です。

秋嶋　彼の悪行はこんなものではありません。年金の株式運用比率の引き上げにより国民の老後資産を霧消させ、消費税率の引き上げにより不況を常態化させ、移民の解禁により雇用を悪化させました。そしてその挙げ句に、特定秘密保護法や共謀罪法を制定し民主制を破壊したのです。

――それがあたかも日本の発展に寄与した偉大な政治家が死んだかのように報じられていたわけです。

秋嶋　最も許し難いことは、レベル7の原子力災害が10年にも及ぶ中で被災地の児童を放置していたことです。２０１１年から僅か5年間で、福島の9病院で行われた甲状腺悪性腫瘍の手術数は１０００件を突破しています。しかしこれには（年間10件未満の手術しか行わない）小規模の病院や県外での手術はカウントされていません。だから実際にはこの何倍もの被害が生じているわけです。そもそも2006年の衆院で福島原発の安全強化が提言された際、「全電源喪失はあり得ない」と言って拒否したのは安倍晋三ですよ。「安倍晋三は日本を破滅させた人物」と言っても過言ではありません。

――岸田総理が「安倍氏の遺志を引き継ぎ改憲に取り組む」と発表した時にはド肝を抜かれました。

秋嶋　安倍氏と統一教会との関係が公《おおやけ》となり、外国のカルト教団がずっと国政に関与してきた実態が暴露されたわけです。だから本来であれば、総理大臣は教会と政策協定を結んでいた議員を全員罷免し、政教分離の原則に立ち返ると宣言しなくてはならなかった。ところが、真逆に安倍路線を踏襲し、憲法を解体すると宣言したわけです。

――カルトが政権を乗っ取っているからどうしようもありません。

秋嶋　さらにその上の統治機構として日米合同委員会があります。このような支配図式《シェーマ》から考えると、日本の支配はオランダがインドネシアを統治した際に用いた手法と瓜二つなのです。

――そこら辺を詳しくお願いします。

秋嶋　宗主国のオランダは表舞台に立たず、第三国の華僑を官吏に任命することで支配の構造を不明にしました。そうやって中国人とインドネシア人を対立させることで反抗を未然に防いだわけです。これと同じように、日本の支配層は、統一教会問題で韓国人と日本人をいがみ合わせているわけです。つまりこれは典型的な植民地の「分断統治」なのです。

――そう考えると在日を標的とする過激なヘイト運動も、支配のために仕掛けられたのかもしれません。

秋嶋　そもそもこの国の政権は日本会議、神道政治連盟、創価学会という諸教団のステークホ《利害関》ルダー《係者》から成ります。つまり統一教会系以外の諸派《カルト》も「相同性」が認められるわけです。「相同性」とは、組織のトップに在日米軍やグローバル資本を戴くという共通の構造という意味です。要するに宗教の看板が異なるだけで、いずれも司令塔を同じくするセク《分》

ト《派》なのです。

――そのようなカルト集団が連合して改憲を目指すという恐ろしい状況なわけです。

秋嶋　改憲の大きな狙いの一つが政教分離の撤廃です。彼らはそのために一致協力しているわけです。統一教会が起草した改憲案では「宗教団体が政治上の権力を行使してはならない」という条文が削除されています。これによって彼らは「セオクラシー《宗教者支配》」を合憲にする目論見なのです。

ナチスが政権を固めた時代と酷似している

――統一教会問題は「個人の政治活動に関するもので調査を行う必要はない」と閣議決定されました。最初からこのようなシナリオだったのでしょう。

秋嶋　政務三役の40％が統一教会と関係していながら、それがウヤムヤにされたわけです。つまり法務大臣や、防衛大臣が、外国のカルト教団から便宜を受けていたのに、野党もマスコミも追及しなかったわけです。いかにこの国が腐っているかということです。

――新聞テレビは統一教会問題を選挙の支援に止めていましたが、資金管理団体を通さない（会計帳簿に記載されない）多額のカネが授受されていたことは、関係者の証言からも明らかです。

秋嶋　だから統一教会問題は「インフォマリティ（違法行為だが社会的に黙認され続けてきた悪事）」、ないしは「インフォーマル・ポリティクス（カルト教団や反社会勢力の非合法マネーによって動く政治）」という言葉で、明確に概念化しなくてはならないのです。

――政府は「統一教会との関係を断つ」と言いますが口先だけです。

秋嶋　それどころか教会の目論見通り、防衛費の引き上げや敵基地攻撃能力の保有が決まりました。統一教会の殷賑《いんしん》は変わらず国会に残っているわけです。

――カルトやグローバル資本の傀儡であった安倍晋三の政治路線が、そのまま引き継がれているということですね。

秋嶋　安倍政権下で決まった法案をもう一度挙げてみましょう。特定秘密保護法、国家戦略特別区域法（主要都市の租界化）、派遣法改正（非正規労働の強化）、種子法廃止、働き方改革法（残業代不払い）、TPP11、カジノ法、水道法改正（水道の外資化）、漁業法改正（外資の漁業参入解禁）、入管法改正（単純労働移民の解禁）など、いずれも外国人には利益となる一方で日本人には不利益となる悪法ばかりです。このような利益代行は、国会を国権の最高機関と定めた憲法第41条に触れる明らかな違憲行為です。

――安倍政権は統一教会やグローバル資本と組んで、外患罪相当のことをやらかしていたわけだ。

秋嶋　越境的に「脱政治化」が図られているわけです。つまり政府の機能が外国に奪われているのです。その視点において、統一教会問題は「サイレント・インベージョン」の実態を垣間見せたのです。「サイレント・インベージョン」とは、国のトップや閣僚の買収など不可視な手段による侵略という意味です。そう考えると、政教分離問題は主権侵害問題にぶち当たるのです。

――統一教会は日米合同委員会と一体だから、政教分離問題は国会で取り上げられないのでしょうね。

秋嶋　日米合同委員会から法務大臣や検事総長が輩出されます。つまりこの委員会が日本の最高権力なのです。だからこれに服する政治家が外患誘致罪で起訴されることは絶対ありません。一連の売国法案とその手続きが違憲審査されることもありません。自民党の改憲草案と統一教会の改憲草案が瓜二つであることが指摘されていますが、おそらく両者の原案は日米合同委員会から下達されたものなのでしょう。

――その可能性は高いと思います。そうやって日本は外国の勢力によって、再び戦争する国に仕立て上げられています。

秋嶋　不気味なことに今の日本の世情は、暗殺された党幹部の国葬を機にナチスが一気に政権基盤を固めた当時のドイツと瓜二つです。安倍晋三の銃撃事件は、このような歴史の展開原理を彷彿とさせ戦慄を掻き立てるのです。

――つくづく人間は歴史に学ばない生き物ですね。

秋嶋　カルトと、政党と、多国籍資本の連合による改憲草案は明らかに弾圧国家を企図しています。改憲草案を文理解釈してみれば（法律用語を一般の言葉に直してみれば）、軍事独裁《ファシズム》によって日本を永久刑務所化する構想に他ならないのです。

これを「聖職者ファシズム」と言う

――統一教会騒動も過去の出来事になりましたが、これを今どのように総括されますか？

秋嶋　「論点のすり替え」が図られていました。本当の論点とは、歴代の総理大臣や閣僚が外国のカルトから援助を受け、彼らに教唆されるまま法律を制定していることです。つまり国会の立法機能が侵食されていることが統一教会問題の核心です。だから本来であれば、教団が関与した法律を全て廃案にし、教団と繋がりのある議員を全員クビにしなければならなかった。しかし政府はこれに全く取り組まず、被害者の救済法でお茶を濁したのです。

――立憲や国民民主など野党も教団と関わっていました。与野党が教団を挟んで癒着していたから、肝心要の問題を追及できなかったのでしょう。

秋嶋　そういうのを「対立関係の虚偽」と言います。要はあたかも与党と野党が牽制しあっているかのように見せかけているわけです。

――御用メディアの罪も大きいです。

秋嶋　大手新聞社は、聖○新聞の印刷や、○○学会の広告などでカネを貰っています。だから系列のテレビ局も政教分離問題について一切触れません。公○党の違憲問題に発展するからです。

――政治も報道も腐り切っています。

秋嶋　警察のトップである国家公安委員長が統一教会の呼びかけ人を務めていたわけです。つまりこの国の司法・立法・行政・報道の全てがカルトに所有されているわけです。このような事実からすれば、改憲を待つまでもなく「神権政治《セオクラシー》」が完成しているのです。これは言い換えると「聖職者ファシズム」です。

――この状況を変えようとする政治勢力がないからどうしようもありません。

秋嶋 自由貿易、特別会計、民営化、移民、天下り、派遣法、マイナンバー、国民監視、遺伝子編集・組み換え食品、薬害、国土の核廃棄物処理場化などの問題群を、包括して取り扱う政党は皆無《ゼロ》です。つまり国の問題を体系的に整理して、解決に取り組む政党がないのです。与党と野党がズブズブに談合しているからですよ。

――その主張には野党の支持者から轟々《ごうごう》たる非難が寄せられるでしょうが。

秋嶋 共産党がコロナワクチンの接種に反対した樋口光冬氏を「党の方針に反した」として除籍したことをご存知ですか？　つまり共産党は所属議員にワクチンの薬害を取り上げないよう党議拘束しているばかりか、国民のために事実を告発した良心的な議員をクビにしているわけです。いいですか、ワクチン問題は与党が今最も触れて欲しくないことですよ。政権の一番の急所だと言っていい。それを共産党が庇うように造反議員を処分しているわけです。

――これほど超過死亡が生じているのに、立憲や社民もワクチン問題を全くと言っていいほど取り上げません。これでは与野党がグルだと言われても仕方がないでしょう。

秋嶋　繰り返しますが、衆参両院の上にはグローバル資本を代理する在日米軍と官僚機構が在り、その議長として統一教会の幹部が置かれています。日本の政治家はくまなくこの三者権力《トライパータイト》に服しているのです。

――カルトは権力であると同時にその媒体である、ということですね。

秋嶋　歴史を概観すれば宗教は常なる支配ツールです。キリスト教も、仏教も、神道も、国教化した時点で始原《アルシエ》の教理が改竄されています。そうやって人間の精神を鋳型の如く成型し、規格化し、集合化し、自律的《オートノミー》な思考を奪う統治の道具として用いられているのです。

売国奴が靖国に参拝したがる理由

――統一教会系の国会議員は結局一人も辞任しませんでした。日本の国会はこんな重大なことを取り上げない異常な国会です。

秋嶋　○○学会が政権に参与することが、憲法20条で定められた政教分離に反することも追及されませんでした。つまり、政治と宗教の癒着という違憲行為をずっと既成事実化してきたから、それに付け入る格好で統一教会が勢力を拡大した、という核心的な問題が消されたのです。

――ＮＨＫの受信料の未払いに倍の罰金を科すことも閣議決定しました。

秋嶋　そうやって日本放送協会の便宜を図ることで情報統制を強化する狙いなのでしょう。もっともすでに公共放送はオウンドメディア《御用喧伝機関》化しています。こうして報道の公平性や中立性《インパーシャリティー》が殺されているのです。だから統一教会系議員が辞職せず国会に居座っている問題や、その他の諸カルトが政権に参与する問題が報道されないのです。

――野党も政教分離の問題には全く触れません。

秋嶋　この国には「分極的多党制」が存在しないのです。「分極的多党制」とは、政策や方針が異なる政党が対立する議会制という意味です。

――国民を馬鹿にした談合国会というわけです。

秋嶋　繰り返しますが、そうやって対立するふりをして国民を欺いているのです。統一教会系議員の罷免問題をウヤムヤにすることも、最初から与野党間で合意されていたわけです。

――野党が威勢よく与党を攻撃する場面ばかりが報じられていますが。

秋嶋　昨年《2022》の国会では「PFI法改正案」が成立しています。それは水道施設や交通機関だけでなく、警察や、消防や、自治体や、学校などあらゆる公共機関を民営化するというトンデモ法案です。つまり歴史的な円安が進行する中で、国の資産をボロ安で叩き売る法案が成立しているのです。

――外資の要望を法案化すれば、それにスライドして政治献金が増えますからね。

秋嶋　国会議員は自分たちの行為が売国だと分かっているわけです。もう後ろめたくてしょうがない。だから靖国に参拝して保守や右翼の体裁を取り繕うわけです。民営化や自由貿易《グローバリゼーション》を推進する政治家が、こぞって靖国に参拝するのはこのためです。

――コロナワクチンも外圧ですからね。日本が主権国家なんて妄想もいいところです。

秋嶋　ワクチン有害事象報告制度《VAERS》の統計によると、インフルエンザワクチンに比べ、コロナワクチンの癌の発症リスクは1433倍になるそうです。

――欧州では医薬品庁が児童用ワクチンを承認して以来、子どもの死亡が8倍も増加しています。

秋嶋　この状況で日本政府は4歳以下の幼児の接種を承認したわけです。そしてさらに、成人の接種のインターバルを8ヶ月↓6ヶ月↓5ヶ月↓3ヶ月という具合に短縮しています。

――そもそも立憲や、共産も、社民も、自公と一緒になってワクチンを推進しています。一蓮托生の仲だと言っていいでしょう。

秋嶋　だから与党と野党の「政策距離（政策の違い）」が無いわけです。もっと言うと与野党は一体なのです。

――特定秘密保護法や共謀罪法が成立した時と同じように、改憲の発議に際して国会は大揉めになるでしょう。しかしそれはシナリオ通りのドタバタなのでしょうね。そしてそのまま国民投票という流れです。

秋嶋　「与党の暴挙で押し切られた」という野党の毎度の文句《ストックフレーズ》で有権者は渋々納得し、そのままなし崩しというのがこの国の「政治過程論」です。つまり全ては「ファシズムは反ファシズムを内包して完成する」という言葉に集約されるのです。要するに自公がやりたい放題できるのは、野党が正義者面をして「健全な民主議会がある」と国民を錯覚させるからです。

――与党と一緒にワクチンを推進する野党が、改憲を阻止するわけないですからね。野党の支持者から非難が殺到するでしょうが、これはまごうことなき現実です。

秋嶋　統一教会が支援の見返りとして国会議員に要望通りの法案の整備を求める「政策協定」の存在が暴露されていますが、野党はこの超ド級の問題を追及しませんでした。つまり安倍政権から岸田政権に至る自民党の治世下で、教団が重要法案の成立に深く関与したことが裏付けられ、改憲草案も彼らによって作られたことが分かっているのに、与党と野党は協調してこれをウヤムヤにしたのです。だから与野党は改憲でも必ず連携します。

――野党の党首たちも、憲法審査会でどんなことが決まっているのか、全く国民に伝えません。

秋嶋　そうやって彼らも密室議会を構成する一員となり改憲に協力しているわけです。やはり日本の「制憲権（憲法を制定する権力）」は国会ではなく、在日米軍の委員会を中心とする外国勢力なのです。その超大な権力の下で与野党は糾合《きゅうごう》されているのです。

選挙で政治が変わるという妄想を捨てられるか

――最近の選挙をどのように分析しますか？

秋嶋　一昨年《2021》の衆院選も昨年《2022》の参院選も、核心的な問題を争点からゴッソリ取り除いた「脱争点選挙」でした。

――そこら辺を具体的にお願いします。

秋嶋　緊急事態条項の加憲の阻止、侮辱罪法の厳罰化の撤回、コロナワクチンによる薬害の解明、財政の一元化（秘密予算化された特別会計の撤廃）、原発事故の実態究明、除染土の拡散の中止などを公約にする政党が皆無《ゼロ》だったわけです。

――重大な問題が何一つマニフェストに記されていなかったわけですね。

秋嶋　それだけではありません。福島原発の周辺住民と復旧作業員の救済、侵略的な自由貿易からの離脱、国債の過剰発行の停止（償還費の増大による増税、社会保険料の引き上げ、為替の悪化などの解決）、外郭団体の廃止（国防費2倍相当のカネを食い潰し財政破綻の原因となっている天下り団体の統廃合）などが全く選挙の争点として扱われなかったのです。

――与党も野党も優先度の低い問題を適当に見繕って公約にしていたわけです。

秋嶋　日本には民主制を担保する「競争的選挙」がないのです。

――改憲の危険性を訴える政党もゼロでした。

秋嶋　法律によって保護されるものを「保護法益」と言いますが、これには治安や秩序を保護する「国家的法益」と、民主的な諸権利を保護する「個人的法益」があります。改憲草案は前者を徹底的に強くする一方、後者を骨抜きにします。何度も言いますが、改憲によって民主政《デモクラシー》が終わるのです。

――私はてっきり昨年《2022》の参院選の争点が緊急事態条項になると思っていたのですが、これを取り上げる政党が無かったことには驚きました。

秋嶋 緊急事態条項は戒厳令、議会の停止、言論統制の3点セットです。これはナチスが独裁の樹立に利用したワイマール憲法第48条の大統領緊急措置権と瓜二つという恐怖なのです。つまり緊急事態条項の発令と同時に、カルト教団や、経済団体や、官僚機構や、多国籍金融などが国民に替わり主権者となるのです。

――それが改憲の主たる狙いなのでしょう。

秋嶋 ナチスの授権法は「国民と国家の困難を除去するための法律」という名称でした。おそらく緊急事態条項も「国家と国民を周辺国の脅威から守るため」みたいな建前で発布されます。そして大多数の国民は当時のドイツ国民のように、警戒心もなく、むしろ良いことであるかのように受け入れるでしょう。なのにこれほど重大な事が選挙の争点にされなかったのです。

――それにしても選挙の談合に気付かない有権者もどうかしています。

秋嶋　与野党は治験を終えていない薬の使用を許可する緊急承認制度でも一致協力しています。また彼らはＷＨＯのパンデミック条約の締結にも合意しています。この条約は憲法の上位法として置かれるので、加盟するとワクチンの接種は拒否できなくなります。このように与野党がズブズブに癒着しているから、日本の国会には「逐条審議（法律や条約の条文を一つひとつ慎重に検証する制度）」がないのです。

――私も与野党が一緒になって緊急承認制度とパンデミック条約を推進していることにド肝を抜かれました。今後さらに薬害が広がることは避けられないでしょう。

秋嶋　日本は形式的な選挙があるだけで実体は独裁の営みなのです。これを「包括的抑圧体制」と言います。だからこの国には民主制を担保する健全な対立《アゴニズム》がないのです。認め難いことですが、これが我々の国の現実《リアル》なのです。

カリスマの容姿と言葉に幻惑され現実が見えない

――日本の国会は重大な問題を取り上げない異様な国会になっています。ここでもう一度、議案にすべき問題を整理して挙げて頂けますか？

秋嶋　①統一教会が主導した改憲草案を無効にすること。②統一教会の関与によって成立した法律や条約を見直し廃案にすること。③政教分離の憲法原則に立ち返り、全ての宗教団体の政治関与を禁止すること。④高額医療費負担制度を維持すること（地方への財源移譲という名目での制度廃止を防ぐこと）。⑤国民の合意のない防衛費の倍増を撤回することです。

――いかに国会がどうでもいい問題ばかりを扱っているかということです。

秋嶋　もっと挙げましょう。⑥円安解消のため一般会計と特別会計を一本化し、天下り団体を廃止し、国債の発行を最小限に止めること。⑦安全性が証明されないコロナワクチンの接種を中止すること。⑧これによる被害の実態を調査し公表すること。⑨人権侵害の蓋然性が高い改正感染予防法を見直すこと。⑩未曾有の円安により株式、不動産、国債など日本の中心資産が外国に買われていることから、これを規制する法案を整備することなどです。

――これほど重大なことを取り上げないのは、明らかに与野党の談合です。

秋嶋　日本の国会は核心的な問題に照準しない「閉鎖的権威主義体制」なのです。要するに、政党談合による独裁体制ということです。

――「重要な問題を取り上げる政党もある！」という反論が寄せられるでしょうが。

秋嶋　しかし立憲や国民民主は言うに及ばず、共産や社民なども①～⑩の問題を殆ど取り上げません。「9条を護れ！」という題目《クリシェ》を唱えているだけです。自公の改憲草案で憲法11～14条（基本的人権に関わる条項）が抹消されている件や、緊急事態条項の危険性を議案にしたためしがないわけです。そうやって差し障りのないことだけを国会で質問して、与党の顔を立てているわけです。

——新党が続々と登場していますが、ここで挙げて頂いた核心的な問題に踏み込む政党は皆無です。

秋嶋　いずれも「大衆政党（世襲や既得権益を出自としない政党）」や「ネットワーク型政党（自然発生した市民グループが連携して作る政党）」を装っているだけです。はっきり言いますが、彼らの大半が新党のフリをしているだけで既存の権力と同じ根っこです。

——野党のツイッターを見ても、改憲の危険性に踏み込んだ発信は全くと言っていいほどありません。

秋嶋　野党も自前の機関紙よりもＳＮＳの方が遥かに即時的な世論の形成力があると分かっています。つまりネットが危険な法案の抑止力になることをよく理解しているわけです。

しかしそれを積極的に活用する意思がないのです。もはやこの状況は「蚕食的ファシズム（独裁が完成する直前の段階）」と言えるでしょう。そしてこのような翼賛体制の下で現実のカタストロフィ《破滅状況》が置き去りにされているのです。そうやって薬害や、原発事故や、改憲や、外資による植民地化《グローバリズム》という劈頭《へきとう》の問題が、議論もされず放置されているのです。

――野党の政治家は正義の人らしく見えるから疑われもしませんが。

秋嶋　そういう風に人物の雰囲気が醸す錯覚を「代表性ヒューリスティック」と言います。ヒューリスティックとは簡略化した思考という意味です。そうやってイメージで思考をショートカットして、信念と現実との照合を怠るわけです。

――そこまで言ってしまうと、野党の支持者たちから猛反発を食らうでしょうが。

秋嶋　「プロスペクト理論」の通りです。つまり誰かを信奉する者は、願望や信念に囚われ、あるいはカリスマの容姿や弁舌に魅了され、あるがままのリアル《現実状況》を直視できないのです。我々を批判する前に、そのような傾向がないのか自分を点検すべきでしょう。

日本から人権が消える日

――平和憲法が解体されようとしているのに、国民の危機意識はゼロです。テレビも、新聞も、週刊誌もこの問題を取り上げないからなのでしょうが。

秋嶋　今の日本は「疑似環境論」通りの様相です。「疑似環境論」とは、情報産業がもたらす虚構《イメージ》によって、現実と乖離した社会観が植え付けられるという学説です。おっしゃる通りマスコミが軍国化の実態を隠し、「平和な社会」を演出し、国民の現実感覚《リアリティ》を打ち消し、改憲に危機感を抱かせないようにしているのです。

――やはり改憲を止めるのは難しいですね。

秋嶋　すでに衆参の両院で、自公・維新・国民が、改憲発議に必要な過半数議席を占めています。野党も改憲の問題点には殆ど触れません。つまり改憲が天皇の元帥化や、国防軍の創設や、徴兵や、基本的人権の抹消に直結する危うさを世論に訴えないのです。

――与野党の出来レースで改憲されるわけです。

秋嶋　野党が本気なら与党への攻撃材料には事欠かないわけです。例えば、670兆円あるはずの年金積立金が130兆円しか残っていないことも、全然突っ込まないでしょ？　これは年金基金が財政投融資で使い込まれ、不良債権化したことによるのですが、この件だけでも与党に大打撃を与えることができるわけです。

――野党はそれを争点にして選挙を戦うこともできたのに、しなかった。

秋嶋　このような攻撃材料《アミュニション》で与党の責任を追及すれば、改憲派の議席が過半数を超えるのを阻止できたわけです。なのに彼らは全く取り組まなかった。やはり日本の政治は「形式的複数政党制」なのです。「形式的複数政党制」とは、談合選挙によって与野党の議席数を配分する政党システムという意味です。

——野党はウクライナの戦争支援にも全然突っ込みませんからね。それどころかゼレンスキーの国会演説では与党と一緒に拍手喝采していました。

秋嶋　元アメリカ国防総省の法部門長が「ＮＡＴＯがゼレンスキー政権を焚き付け、意図的にロシアを侵攻させたことにより、今回の戦争が勃発した」と語っています。だから本来であれば、野党はこのような経緯を調べ上げ、ウクライナ支援の妥当性を国会の審議にかけなくてはならなかったのです。

——ところで過日の憲法審査会では、緊急事態下での衆院解散や内閣不信任決議を禁止することが改憲案に盛り込まれました。

秋嶋　これはもうナチスが濫用した大統領緊急権と同じです。彼らの狙いは国会議員の終身議員化（任期がなくずっと国会議員であり続けられる身分化）による独裁であり、人身の自由・思想言論の自由・結社の自由から成る基本権の抹殺に他なりません。

――まさに軍靴の音が鳴り響くような状況です。

秋嶋 ファシズムは突如再来するのではなく、先立って何重にも伏線を張り巡らせるのです。すでに防衛装備移転三原則（兵器の輸出や外国の軍需メーカーとの共同開発の解禁）、各種特別措置法（自衛隊の海外派兵の合法化）、共謀罪法、特定秘密保護法、デジタル改革関連法（国民監視の合法化）などが整備されています。しかし、国民はこのような段階的手法《グラデュアリズム》に全く気付いていません。つまり人々はこの一つ一つがファシズムを構成する布置であることが見えないのです。こうして1億人が「ゲシュタルト崩壊」に陥っているのです。

――100％同意します。今の日本人は俯瞰的に思考できません。

秋嶋 与党の政治家が「公共の福祉なんて生ぬるいこと言ってないで、改憲して緊急事態条項ではっきり人権を制限すべきだ」などと暴言を吐いています。なのに国民はメディアに意識を奪われ、この言葉がどれほど酷いかも分からない。「現代のファシズムは暴力ではなく巧妙な心理操作で民衆を自発的に服従させる」という格律通りの状況なのです。

「抵抗しない人民」を作るための言葉

――それにしても民度の低さに愕然とします。これほど情報が発達した時代なのに、国民の多くは今何が起きているかも分かっていない。

秋嶋　マスコミに教化され、誤った認識を植え付けられ、自分が置かれている状況すら理解できないわけです。こうして日本人の「動物化」が進んでいるのです。つまり国民は短期的な視野と局所的な利害だけで行動する群れになっているのです。

――現に国民は改憲という大問題に関心を持たないですからね。

秋嶋　「点火理論」の通りです。「点火理論」とは、マスメディアが重点的に扱う問題だけが争点となり世論を作るという学説です。要するに改憲という核心問題がワイドショーやニュースで流れる重要度の低い問題にすり替えられているのです。

――野党の支持者も、野党が改憲や緊急事態条項の危険性を訴えないことがおかしい、と気付いていません。むしろそんな欺瞞をあえて無視しているように見えます。

秋嶋　それを「知覚的防衛」と言います。そうやって信念に反するものを見ない聞かないことで自我を保つわけです。もっと言うと、野党の支持者は野党の裏切りを直視しないことで「自己概念」を維持しようとするわけです。そしてそれによって「政治的無意識」が形成されます。「政治的無意識」とは、支持政党の言うことさえ聞いていれば自分は難しいことを考える必要はないのだ、と受動的になる傾向という意味です。政党を支持する態度とカルトを信奉する心理は紙一重だということです。

――これほど与野党があからさまに癒着しているのに、みんなそれを認めようとしないですからね。野党議員が年末の炊き出しに参加したことが美談のように語られていましたが、その裏では与党とよろしくやっているわけで、私にはとんでもない欺瞞に思えました。

秋嶋 「カリスマ権力は催眠的、夢遊的、眩惑的、法悦的に説得する」という言葉の通りです。野党の政治家は総じて善人に見えるでしょ？ 彼らはそのイメージで支持者を眩惑しているわけです。

――政府開発援助《ODA》に途方も無いカネが使われていますが、野党はそんなことにも全く突っ込みません。

秋嶋 安倍政権は海外支援に約100兆円使っています。このカネを文教費に回していれば、20年以上にわたり保育園から大学まで無償にできたでしょう。

――とにかく政治家は政府開発援助《ODA》をやりたがりますね。

秋嶋 G7などの仲介国と、国連やWHOなどの仲介機関と、相手国政府と、政治家を結ぶ超国家的なネットワークがあります。この利権に服する人たちがキックバック《手数料》を得られるわけです。だから閣僚級の政治家の多くは海外の秘匿口座《オフショア》を持っています。対外援助《ODA》とはこのような越境的なマネーロンダリング《税金洗浄》の手管なのです。

――しかしそれに気付かない国民もどうかしています。これほど社会資本が奪われているのに無思考を貫いている。支配層は見事に民衆を操作しています。

秋嶋　今やあらゆる政治的な発話が児童調教的《ペダゴジー》です。彼らの説得の文句は「国際的地位に相応しい対外援助《ODA》をしなくてはならない」とか、「防衛が最大の福祉である」とか、「原発事故では誰も死んでいない」といった具合に、少し考えればおかしいと分かることばかりです。つまり子どもをたぶらかす口上で国民を煙に巻いているわけです。これが日本の為政者たちが支配に用いる言説戦略《スピーチ・アクト》なのです。

◉第4章

理性が消失した日本の情景

狂気の国の政治家の言葉は空気よりも軽い

――元ワクチン担当大臣が「私はただの運び屋だった」と発言し物議を醸していましたが、これは接種後の事故が相次いでいることによるのでしょう。

秋嶋　彼は一連の政策過程で「私が全責任を取る」と公言していたわけです。それなのに「批判する者には法的措置も検討する」とのたまわっている。もはや日本の政治にはアドボカシー《責任ある言説》という概念すらないわけです。

――野党も、新聞も、テレビも、この問題を取り上げません。薬害が公然となれば、ワクチンを推進した彼らも責任を追及されるからなのでしょう。

秋嶋　そうやって有責者たちが自分たちに責任が及ばないよう「公示性」を抹殺しているわけです。「公示性」とは国民に広く情報を公開することという意味です。

――それにしても役所や、病院や、学校で働く人々が無思慮に国に従う様にはぞっとします。患者や、住民や、生徒にワクチンを打ちまくっていますからね。

秋嶋　この状況は「分化的接触理論（周囲に同調し感化されることで理性が麻痺し非人道的な行為に及ぶという仮説）」通りです。もっと言えば、この国では「反省的均衡（行為を倫理や道徳に照らして考える理性）」が死んでいるのです。

――政治家の無責任発言はそれを象徴しているわけです。

秋嶋　「注射器ナショナリズム」、「ワクチン・ナショナリズム」「コビット・ナショナリズム」などと称される異様なワクチン接種運動が始まり3年が経ちます。結局これは莫大な対策費を、製薬会社とそのステークホルダー《利害関係者》に配分するための詐欺だったのです。

――すでに予防接種法が改正されていますが、これによりワクチン利権はさらに強化されるのではないでしょうか？

秋嶋　この改正案には「損失補償契約の締結」が盛り込まれています。これは要するに、コロナワクチンによって死亡や後遺症などの薬害が生じた場合、その賠償金と裁判費用を国が肩代わりするというものです。

――国の予算は税金ですから、薬害事件によって生じる費用一切が、最終的に国民の負担となるということです。

秋嶋　これはグローバリズム《多国籍企業支配》がもたらす最悪の「官民連携」です。「官民連携」とは、民間のリスクを政府が受け持つという意味です。

――欧州では大規模なワクチン反対運動が起きていますが、日本で頑張っているのはSNS住民と心ある少数の医師グループだけです。一般国民は恐ろしいほど関心がありません。

秋嶋　日本固有の「未分化型政治文化（政治学が未発達な文化環境）」によって、国民は「アモラリスト」化しているのです。「アモラリスト」とは、善悪の概念はあるけれどそれに基づく判断や行動ができない人間という意味です。

――このような中で、東京都とファイザー社が連携協定を締結しました。

秋嶋　福祉と保健医療を共同推進し、サービスの向上を図るという建前ですが、同社製ワクチンの薬害がこれほど深刻化し、被害が相次いでいる事態であることからすれば、全くとんでもないことです。

――その目的は何だと思いますか？

秋嶋　都民に大規模接種を行いデータを取得するため、ではないかと言われています。もしそうだとすれば、ナチスの人体実験を繰り返さないように定めた「ニュルンベルク綱領」に反します。

――もう日本の社会全体が狂っていますね。

秋嶋　今や政府も自治体もソシオパス（他人を自己利益の道具にする人格障害者）の群れと化していますす。この次元においては倫理的指弾も科学的助言も全く無効なのです。

コロナ禍という地球規模のホワイトカラー犯罪

——コロナによる死亡の増加が報じられていますが。

秋嶋　政府が発表する死亡者数はウソですよ。厚労省が都道府県に送達した「新型コロナウイルス感染症患者の急変及び死亡時の連絡について」と題された文書によると、入院患者が死亡した場合、陽性であればコロナで死んだと診断するよう指示されています。

——都市伝説のように言われていましたが、本当にそんな通達があったのですね。

秋嶋　この文書が配布されて以降、ガンであろうが、肺炎であろうが、老衰であろうが、交通事故であろうが、陽性患者は全てコロナによる死亡にされているのです。

——そうやって、あたかも致死性のウイルスが大流行しているようなイメージを作っているわけだ。

秋嶋　しかし、よくよく調査してみれば、死亡者の大半が何らかの基礎疾患を抱えた高齢者で、コロナが直接的な死因となったケースは殆ど無かったのです。

——なのにマスコミは、その全てがコロナの感染死であるかのように報道していました。

秋嶋　統計が改竄されるもう一つの背景には、コロナと診断すれば通常の3倍の診療報酬を支給する政府の特約があります。さらに補助金も上乗せされます。100億円以上を支給された病院もあるほどです。こうして国と医療機関との間に互酬関係《レシプロシティ》が出来上がっているわけです。

——政治家がこの問題に言及しない事情もおカネでしょうね。

秋嶋　製薬会社のロビー団体である「製薬産業政治連盟」が与野党に献金を繰り返しています。そしてその主要会員である中外製薬、エスエス製薬、田辺三菱製薬、アステラス製薬は、それぞれロシュ、サノフィ、ファイザー、アストラゼネカの資本が投じられています。つまりワクチンや、経口治療薬や、検査機器などで莫大な利益を得る外資が、与野党に献金工作を仕掛けているわけです。

――だからこれだけ薬害が深刻化しているのに、国会はこの問題を全く取り上げようとしないわけだ。

秋嶋　ｍＲＮＡ技術の第一人者であるＲ・マローンが「子どもにコロナワクチンを接種すれば、脳や心臓、免疫系に永久的な損傷を与える可能性がある」と警告していました。にもかかわらず与党も野党も5～11歳の児童の接種に反対しなかったのです。

――それでもみんな与野党が対決していると思っているからチョロいもんです。

秋嶋　通常ワクチン開発には相当な年月を要します。例えば、麻疹は10年、子宮頸ガンは25年、髄膜炎菌やチフスには１００年かかっています。ＨＩＶや、マラリア、ＳＡＲＳに至っては未完成です。

――なのに、唯一コロナワクチンだけが数ヶ月という超短期間で開発されました。

秋嶋　製薬会社も認めている通り、臨床試験を省略したからこれほどの短期間で商品化できたわけです。つまり彼らには「企業の社会的責任《CSR》」という概念が無いのです。とにかく今儲かれば、その結果どうなろうが知ったことではないのです。

――モデルナ社の幹部が「ウイルスは消滅しない。これから毎年追加接種をしなくてはならない」と語っていましたが、どうやら製薬会社は今後もコロナがずっと続くと考えているようですね。

秋嶋　ＪＣＲファーマ社がコロナワクチン原液の製造工場を神戸市に新設します。ｍＲＮＡ薬の大手アクセリード社の工場も南相馬市で操業予定です。大阪のモリモト医薬も乾燥粉末ワクチンの生産を開始します。「コロナは長期化する」という目論見書や投資情報《IR》があるから、莫大な資本を調達できるわけです。

――コロナは完全に産業化されていますね。

秋嶋 すでにコロナ対策予算は300兆円を超えていますが、これは勤労者一人あたりに換算すると500万円近い負担になります。この大半が特例国債ですから、元本と利息を納税によって払わされるわけです。そんなことを考えさせないために「税は財源ではない！」とかいう阿呆なコピーを流行らせているわけです。

――やはりコロナに関わる費用の一切が、国民の負担となるのですね。

秋嶋 2000年に開催された世界経済フォーラムでGaviという機関が発足しています。これは各国政府、WHO、ユニセフ、世界銀行、ビル&メリンダ・ゲイツ財団、製薬企業が合同でワクチン接種を推進するための組織です。「民間セクターと公共セクターが手を携えて予防接種プログラムを推進し子どもの命を救う」とのたまいますが、要はグローバル金融と、ビッグファーマ《多国籍医薬品企業》と、各国の政治家が連携してワクチン接種を推進し、互いにカネを回し合うことが目的なのです。やはり世界的なコロナ禍のシナリオを書いているのはダボス《超富裕》階級とそれに服する人々なのです。つまりこれは地球的スケールの「ホワイトカラー犯罪（政治家や、大企業の幹部や、官僚や、投資家など、社会的地位の高い者たちによる反社会的行為)」なのです。

知られざる宗教とワクチンとの関係

――このところ救急車がひっきりなしに行き交い、街は戦場さながらに騒然としています。救急隊の出動率は実に１００％増だそうです。

秋嶋　コロナワクチンが原因である可能性が高いと思います。オーストラリア政府が「接種者は非接種者よりも入院確率が37倍になる」と発表しましたが、各国の統計からして、日本で何も起きないはずがないのです。だとすれば救急車のサイレンは薬禍の広がりを示す聴覚的記号なのです。

――死亡事故や副反応が凄く増えているのに、この問題が取り上げられることが逆に少なくなっています。

秋嶋 そういうのを「規模不感受性」と言います。「規模不感受性」とは、問題の深刻度が上がるにつれ真逆にリスク評価が下がる傾向という意味です。

――政府は接種を中止しないどころか、打て打てと言っていますからね。与党も野党も同じ調子です。

秋嶋 「故意の盲目（気付かなかったことを理由に刑罰を回避する戦略）」、とか「もっともらしい否認（明らかに関与していながら物的証拠がないことでしらを切る戦略）」という責任を回避する方法があるわけです。これは僕の造語ではなく、すでにある社会学用語です。

――どんなことがあっても自分たちは責任を追及されないと高を括っているのでしょうね。

秋嶋 ワクチン有害事象報告システム《VAERS》によると、昨年《2022》の7月時点で、コロナワクチンによるアメリカの死亡者数は3万人に達しています。しかし米国の超過死亡者が30万人を超えていることからすれば、実際はその10倍位の被害が出ているのかもしれません。

――日本の超過死亡も戦後最多を更新中です。

秋嶋　心筋炎、心不全、免疫不全、呼吸困難、歩行障害、ギラン・バレー症候群などの副反応も相変わらず多発しています。

――こうなることは最初から分かっていたのではないでしょうか。

秋嶋　米国食品医薬品局《FDA》は５５００頁にも及ぶファイザー社の内部報告書を公開しました。それにはコロナワクチンによって腎臓障害、急性弛緩性脊髄炎、脳幹塞栓症、出血性脳炎を始め１２９１もの有害事象が発生し得ると記されています。

――政治家も新聞テレビもそんな重大なことを周知しようとしません。腐り切っています。

秋嶋　これはテキサス州裁判所の命令によって今回開示に至りましたが、もしこの手続きがなければ、75年間にも渡り隠蔽する手筈だったそうです。

――徹底した利益至上主義の下でワクチン接種が行われているわけです。

秋嶋　アメリカ上院議員の公聴会で、軍医たちがコロナワクチンの被害状況を報告しました。それによるとガンが３００％、肺塞栓症が４６７％、不妊症が４７１％も増加していたそうです。

――本来であれば早急に接種を中止し、被害状況の調査を行い、ワクチン政策を見直さなければならない。ところが政府は真逆に接種を強化しているという。

秋嶋　そもそもワクチンの添付文書には「本製品は新しい種類のワクチンのため、明らかになっていない症状が出る可能性があります」と記されています。要するに企業も政府も安全を保証できないものを国民に接種させているわけです。

――日本はモラルも倫理もないメチャクチャな国になっています。

秋嶋　与党の一翼を担う某宗教団体の米国法人はファイザー社の筆頭株主です。彼らはワクチン開発財団を主宰するビル・ゲイツから「日本での集団接種の推進に寄与した」として感謝状を授与されているのです。そもそもファイザー社は、過去20年間で1兆円以上の制裁金の支払いを命じられた超問題企業です。それが政権と癒着しているのは由々しき問題です。

――それにしても支配装置としての宗教《カルト》は本当に酷いものです。

秋嶋　だから我々は今の日本を「宗教現象学（宗教がどのような行為や社会を生み出しているかの学究）」の見地から、もう一度捉え直す必要があるのです。

国家と政治ではなく企業と金融が世界を動かす

——ビル・ゲイツに旭日大綬章が授与されたことには驚きました。

秋嶋　あの時すでに、彼の財団が関与したワクチンが原因と見られる日本の死亡者数は１８０0人を超えていたわけです。

——薬害は今なお広がっています。

秋嶋　海外のメディアは、日本の死亡率がブースター接種の回数に比例して増加していることを大きく報じています。現実としてワクチンを接種すればするほど状況が悪化しているのです。

――ワクチンなんて打つだけ無駄ということです。

秋嶋　米国の軍人カーチス・ルメイも旭日大綬章を授与されましたが、この人物は先の大戦で日本の空襲を指揮し、45万人以上の民間人を殺戮した戦争犯罪人です。つまり日本政府は、膨大な自国民を浄化した者や、現在進行形でそれを行為する者に勲章を与えたのです。

――これはもう「国辱的状況」と言っていいでしょう。

秋嶋　日本は欧米の経済ゴミの処分場として扱われる格好です。つまり禁止された除草剤や、ホルモン剤漬けの肉や、殺虫剤や農薬を猛烈に散布した果物や、遺伝子組み換え・編集作物や、WHOが使用禁止を勧告した抗がん剤などを大量に買わされた挙句に、使用済み核燃料まで引き取らされようとしています。そしてその延長としてワクチン問題があるのです。

——支配人種にとって日本ほど都合のいい国はないのでしょうね。

秋嶋 これは越境する「関係的権力」なのです。「関係的権力」とは、経済主体が及ぼす政治主体への影響力という意味です。

——そういう風にしっかり言葉にして頂くと思考がクリアになります。

秋嶋 やはり哲学の作業が重要です。対象を概念化し、明確な一語で表し、物事の仕組みを解き明かさなくてはなりません。これが本来の哲学なのです。

——今我々が置かれている状況を理解するには、どのような世界観を思考の土台にすべきでしょうか?

秋嶋 ネグリ&ハートの「帝国論」です。「帝国論」とは人類社会が政治や国家という単位ではなく、企業と金融という単位によって営まれるという理論です。グローバリズムの原論と言っていいでしょう。

――ワクチン問題もそのような視点から捉えるべきですね。

秋嶋　僕はコロナの発生当初から、これが自然のパンデミックではなく、周到に計画されたプランデミックだと論じてきましたが、やはりこの見立てに間違いありませんでした。コロナという幻像は地球規模のマネタライゼーション《金銭が金銭を生む状況》の道具として利用されているのです。

――コロナを端緒として世界は間違いなく暗黒化しています。

秋嶋　イタリアでは「医療アパルトヘイト」が激化して、接種証明がなければ、バスや地下鉄などを利用できませんでした。自営業、会社員、公務員の全員に接種が義務付けられていました。ＷＨＯのパンデミック条約に加盟すれば日本も必ずそうなるでしょう。

――ワクチンによる欧州の死亡者数が３万人に達していることからすれば、全く非人道的な措置です。

秋嶋　ドイツやオーストラリアでも、防疫を名目に人権が縮減され、カナダではトルドー政権がナチスを彷彿とさせる「全権委任法」を発令し、ワクチン接種の義務化に反対する活動家の口座を凍結しました。このように地球規模で民主制が崩壊し独裁《ファッショ》が台頭する「ポストデモクラシー」が生じているのです。

企業による企業のための企業の政治

――厚労省はコロナワクチン接種後の死亡者数が2000人を超えたと発表しました。

秋嶋　それだって接種した医師と検死した医師の双方が繁文縟礼《はんぶんじょくれい》（役所が要求するウンザリするほど煩雑な様式）な手続きを経て報告した極々一部のケースです。おそらく実際はその何十倍もの被害が出ているわけです。なのに新聞テレビはこの件を報じません。本当に重大な問題を周知しないことがメディアルーティン《報道の規則や慣行》化しているのです。

――薬害の実態は闇に葬られるでしょう。遺体を焼いてしまうと検死もできませんから。

秋嶋　ドイツの研究者グループが、全てのコロナワクチンに有害な金属成分が含まれると発表しました。これがもし事実だとすれば、血栓症や、心筋炎や、免疫不全などが世界中で激増した原因はコロナワクチンです。

――与党はバックレているし、野党もこの問題には触れません。

秋嶋　超党派の議員が子どもの接種を見直す会を立ち上げていましたが、穿った見方をすれば、大人の薬害についてはスルーということです。

――今更ですが、この国の政治家には何も期待できません。

秋嶋　「医薬品医療機器等法改正案」が与野党一致で成立していますが、これは治験を終えていない新薬を「見込み」で緊急承認するというトンデモ法案です。

――外国の製薬会社のやりたい放題ですね。

秋嶋　2006年に政治資金規正法が改悪され、外資の献金が合法化しているから、どうしようもありません。彼らの要望によってドラッグ・ラグ（新薬物が開発されてから使用できるようになるまでの時間差）が解消されたわけです。こうして最悪の形で「利益代表システム（企業が政治家に利益誘導させる仕組み）」が現象しているのです。

——与党の幹部が「ワクチンを1日100万回接種しないと政権がもたない」と漏らしていましたが。

秋嶋　あの時すでに政府は8億8200万回分のワクチンを購入していました。それを消費しなければ「次の発注ができない」という〝あせり〟があったのだと思います。

——感染症予防や公衆衛生など最初から眼中にないわけです。

秋嶋　おそらく政権は駐留米軍の委員会を通じ、ノルマを課されていたのでしょう。だから彼らの要求を達成できなければ、制裁的に政権が解体されるのです。これが「行為論的図式」なのです。つまり占領統治の一環としてワクチン政策があるわけです。

——戦争に負けるとは、こういうことなのでしょうね。

秋嶋　しかし当の宗主国《アメリカ》でも薬害は拡大の一途です。そしていよいよ大手保険会社が加入者の死亡が2倍となったことを受け、製薬会社に対し賠償訴訟を起こす事態となりました。

――薬害の全貌はいずれアメリカの法廷で明らかになるのかもしれません。

秋嶋　米国政府はワクチンの被害が莫大な国家賠償請求に発展することを警戒し、ブースター接種を見直す方針です。イギリスやオーストラリアなども、感染死亡者の大半がワクチンの複数回接種者であることを発表し、副反応を公式に認め、一人当たり2000万円前後の賠償金の支払いを始めています。

――日本はそれに逆行し接種をさらに強化しようとしています。

秋嶋　欧州医薬品庁が12～15歳に新型コロナワクチンを承認して以降、EU各国ではこの世代の死亡が700％近く増加しています。

――なのに日本は未成年者の接種を中止しようとしません。

秋嶋　国はコロナワクチンに効果がないことを理解しています。未曾有の薬害が生じていることも分かった上で接種を続行しているのです。このような欺瞞はまさに「実証政治理論（政治家と企業家と資本家の利益のために政治は行われるとする学説）」の証明なのです。

人工知能が人間を採点し人権を調整する時代

——国民の猛反対を押し切って、健康保険証とマイナンバーカードの統合がゴリ押しされました。

秋嶋　マイナンバー法の第三章十六条には、申請者の要請に基づく場合のみ番号カードを発行する、という旨が記されています。要するに保険証とバーター《引き換え》にすることは違法なのです。しかし立法と、司法と、行政の三者がグルだからどうしようもありません。

——この背景には外圧もあるのではないでしょうか？

秋嶋　外資系製薬会社は日本国内でコロナワクチンとその原材料を生産する計画です。このような供給体制の下ではいずれ接種を義務化しなくてはなりません。マイナンバーカードと健康保険証の統合はそのための制度強制《インポジション》だと思います。

――つまり、ワクチン接種を義務化しなければ、製薬会社や投資家は目論見通りの利益を得られない。そのための手段として、マイナンバーカードと保険証を一体化させるわけですね。

秋嶋　すでにアマゾン・ウェブ・サービスというシステムが稼働しています。これは、マイナンバーと接種履歴を紐付けし、住民の誰が、いつ、どのロット番号のワクチンを、どこで、どの医師によって接種したのかを照会できるようにしたシステムです。

――そんなことは全く知りませんでした。

秋嶋　これを改正感染症法と合わせて運用すれば、マイナンバーによって規定の接種回数に達していない住民を割り出し、追加接種に応じない場合は、隔離したり罰則を科すことができるわけです。こうしてマイナンバーカードを軸に国民監視体制《ナショナル・サーベイランス》が完成するのです。

――中国みたいな監視社会になるわけだ。顔認証の自動改札が大阪で導入されましたが、これが全国に普及すれば、政府にマークされた者は移動もできなくなります。

秋嶋　２０１６年に成立した「官民データ活用推進基本法」によって、官公庁と民間企業が、国民情報と顧客情報（Ｃｏｏｋｉｅを始めとする諸々のデジタル履歴）を持ち寄り共有することが合法化されています。

――そう言えば、そんなこともありました。

秋嶋　我々の個人情報のメタデータ化が進んでいるわけです。それにＩＰアドレスとスマホＩＤを紐付けすれば、瞬時に個人を捕捉するシステムが完成するわけです。つまり、そのタグ《識別標識》となるのがマイナンバーなのです。

――それは恐ろし過ぎます。

秋嶋　現にアメリカではマイナンバーに相当する社会保障番号《SSN》が国民の管理・監視に利用され

ています。国民は事ある毎にバックグラウンドチェック（官民が共有する個人のメタデータ）に照合され、ＳＮＳなどの言動が反政府的である場合は人工知能《AI》が信用スコアを減点し、人権を制限するディストピア社会が出現しているのです。

——ＳＦで描かれた未来が現実になっているという。

秋嶋　これは「日米社会20年遅延説（アメリカの社会現象が20年遅れて日本で起きるという学説）」の証明であると同時に、近未来日本のパノプティコン《刑務所型監視装置の運用図》・ダイアグラムなのです。

——改憲されると、マイナンバーはさらに悪用されます。

秋嶋　マイナンバーカードは有事法制とセットで運用されるでしょう。政府は周辺国との緊張もしくはテロなどを理由に改憲し、緊急事態条項を発令するシナリオです。そしてその際には必ず治安維持《セキュリティ》を名分に言論が統制されます。マイナンバーはその中心的な弾圧ツールになるのです。

——これは日本人が考えた計画ではありません。

秋嶋　マイナンバー制度は日本の政治家の遥か頭上の僭主《せんしゅ》たちによって設計されたものです。我々はこの事実を推理の基礎《プレミス》に据えなければならないのです。

――暗黒が果てしなく広がる状況です。

秋嶋　しかし、ドイツや、イタリアや、フランスや、ハンガリーは「国民を番号化し管理するナチス的な構想」を撤回させています。だから日本も無知状態《アグノーシア》の克服により、同じことが出来るかもしれません。その可能性に賭けて発話を続けようではありませんか。

上級国民が下級国民を食い物にする新しい資本主義

——超過死亡が凄いことになっていますね。昨年《2022》の超過死亡は接種前の年と比較し20万人も増加しています。やはりコロナワクチンが原因である疑いが濃厚です。

秋嶋　国会でコロナ問題が取り上げられた際、参考人として招致された東京理科大の研究者は、集団接種に用いられるワクチンは古いタイプで新株には有効でないと述べています。

——これはもうワクチンの不良在庫を一掃するために接種するようなものです。政治家は国民がどうなろうが知ったことではないのでしょうね。

秋嶋　薬害が出たところで、マスコミも司法も仲間《グル》だから、自分たちは追及も処罰もされないと高を括っているわけです。これはまさに究極の「賤民資本主義」です。「賤民資本主義」とは、上級国民が下級国民を食い物にして儲ける資本主義という意味です。

――帯状疱疹が増加していますが、これもワクチンによる免疫低下が原因ではないでしょうか。

秋嶋　アメリカ政府が公開したデータには、コロナワクチンにより帯状疱疹に罹るリスクが50倍近くになると示されています。帯状疱疹に罹ると5年以内のガンの発生率は2〜17倍に跳ね上がるそうです。またアメリカではコロナワクチンの副作用と見られる血液凝固障害が多数報告されています。このところ日本で血栓による死亡が増加しているのもそれが原因かもしれません。

――どうやら大変なことになりそうですね。

秋嶋　厚労省の若手職員の大量離職が報じられていましたが、エリートが莫大な不労所得を得られる天下り特権を放棄してまで退職するのは、一連のワクチン行政が業務上過失致死傷罪案件に発展しかねない、と判断したからなのかもしれません。あくまで個人的な見解としておきますが。

――その可能性は高いですね。良心の呵責ではなく保身によるのでしょう。

秋嶋　ちょっと難しい言い方をすれば、これは一つの「共変モデル」です。「共変モデル」とは、その行為に伴う現象から何が起きているか推論するという意味です。つまり、コロナワクチン接種→厚労省職員の大量離職、という事態が何を意味するのか、ということです。

――これはもう大体の察しが付きます。

秋嶋　ところで世界経済フォーラムの会長を務めるクラウス・シュワブが『グレート・ナラティブ』という本を出したことをご存知ですか？

――グレート・リセット後の世界の理論書と聞いていますが。

秋嶋　それはあくまで建前です。この本は政府が国民の発話規則を定め、人工知能《AI》によってネット上の政府批判を取り締まるというファシズムの計画書なのです。

——デジタル庁の創設やマイナンバーカードと個人情報の紐付けも、その運動の一環なのでしょうね。

秋嶋　世界的な支配階級《ルーリングクラス》は、薬害の実態が顕在化し、反政府運動が高まることを予測しているのです。つまりセクター団体（政策により利益を得られる団体）である製薬企業や、その利害関係者《ステークホルダー》である彼ら自身が責任追及される事態を警戒しているわけです。

——それに先んじてデジタルな弾圧体制を構築するわけだ。

秋嶋　そうなるとワクチンの被害者は救済を求めるどころか、薬害問題の発信すら叶いません。気付いてみれば地球市民は「ディジーズ・モンガリング《でっち上げられた感染症の恐怖》」によって人権を奪い尽くされようとしているのです。

平凡な人間が収容所の看守のように残酷に振る舞う

――厚労省がコロナワクチンによる死亡者の遺族に一時金の支払いを始めました。いよいよ被害の実態を隠しきれなくなったのでしょう。

秋嶋　すでに薬害イレッサや薬害エイズの3倍以上の被害が出ています。もっとも厚労省に言わせると、この数字はあくまで「コロナワクチン接種後の死亡者数であって、コロナワクチンが死因と断定されたものではない」とのことですが。

――しかしイギリス政府はコロナワクチンが子どもの死亡率を４０００％以上も高めると発表しました。

秋嶋　強権的なワクチン政策を推進してきたオーストラリアですら、心筋炎が懸念されるとして、30歳以下はブースター接種をしないよう勧告しています。米国やカナダの病院関係者は接種後の死産が通常の20～40倍に達したと告発しているし、欧州医薬品庁《EMA》は生殖機能の障害をもたらす可能性があると警告しています。どう考えても日本は接種を一旦中止しなくてはならない状況です。

――ところが政府は6回目の接種計画を打ち出し、0～4歳児の接種も取り止めません。

秋嶋　すでにこの国では、無加害原則や、与益原則や、公平・正義の原則という医療倫理の全てが崩壊しているわけです。

――政治もモラルを失っています。自公や維新は言うに及ばず、立憲や、社民や、共産党までもがワクチンを推しています。これほど事故や副反応が相次いでいるのに、それを問題として取り上げる政党がゼロというのは本当に恐ろしいことです。

秋嶋　免疫学の世界的権威が「子どもにコロナワクチンを接種すれば、脳や心臓、免疫系に永久的な損傷を与える可能性がある」と警告しています。しかし政治家はこのような情報を周知するのではなく、ひたすら接種せよと呼び掛けているわけです。

――モデルナとファイザーがワクチンのCMを流していましたが、あれは大変不気味でした。

秋嶋 各国で多くの事故を引き起こしているワクチンを宣伝することが「広告倫理綱領」に触れることは明らかです。接種後の死亡者数からすれば、薬効を誇大に広告してはならないと定めた薬機法にも違反しています。

――もはやテレビ業界にモラルなんてありません。

秋嶋 「デジタル・ディスラプション」という言葉があります。これは情報技術によって旧来の製品やサービスが廃れるという意味ですが、テレビはその最たるものです。このままだとテレビ局はネットに押されて潰れるしかない。だから政府や製薬会社の宣伝機関になって生き残るしか道がないわけです。

――ＮＨＫも、キー局も、地方局も、衛星放送も、「ワクチンを打て！」の大合唱です。

秋嶋　そうやって官民挙げて安全宣伝《フェイル・セイフ》に邁進し、薬害をないことにしているわけです。その意味において、すでに日本社会はナチス化しているのです。

——そこら辺を具体的にお願いします。

秋嶋　厚労省の指導の下で、都道府県や市区町村が住民にワクチンを接種していますが、この指揮命令系統《ヒエラルキー》には「責任帰属」という概念がありません。要するにワクチンを接種する公務員たちは「自分は上からの命令に従っただけだ」という一言で罪責から逃れられるのです。こうしてホロコーストを実行したナチスの官僚機構のように、機械的に命令に従うシステムが出来上がっているわけです。

——行政から人道が消えたということですね。

秋嶋　今の日本社会は、平凡な人間も残虐が許される状況に置かれると、人倫を投げ捨て残虐な行為に及ぶという「ミルグラム理論」を実証する島なのです。ワクチンをバンバン打っている現場で、自分の行為の意味を考えたり、倫理的な葛藤を抱えている人なんていませんからね。

――全くおっしゃる通りです。

秋嶋　そんな無思慮や無分別が今時代の日本人の標準的な心性《メンタル・モデル》なのです。かくして政治家も、公務員も、アナウンサーも、広告代理店の社員も、放送作家も、新聞記者も、教職員も、小さなアイヒマン《絶滅収容所官吏》と化しているのです。

スポーツに熱狂する大衆は政治を考えない

――昨年《2022》のサッカーワールドカップで、日本代表が強豪ドイツを破り盛り上がっていましたが、あの裏では色々ヤバいことが進められていました。

秋嶋　憲法審査会は、改憲案に緊急事態条項と、議員の終身化を盛り込んでいました。マイナンバーと個人情報の紐付けや、感染症法の改正も成立しています。

――ワールドカップに合わせて計画されていた、と考えるべきでしょう。

秋嶋　その3年前の世界ラグビー日本大会の際には、消費税率が8％から10％に引き上げられ、日米FTAが締結されています。これは典型的な「機会主義《オポチュニズム》」の手法です。そうやって何かのドサクサに紛れ危険な法案や条約を成立させるわけです。

――新聞テレビだけが情報源の国民は、何が起きているのか分からないですからね。そんな人たちが圧倒的多数だからどうしようもありません。

秋嶋 その前の年の臨時国会でも、水道の民営化、漁業法等の改正（民間企業による漁業権の取得の合法化）、入管法改正（単純労働移民の受入）、EUとの戦略的パートナーシップ（欧州産品の関税撤廃）など売国法案が目白押しでした。そしてその際には秋篠宮家の長女の結婚問題や、北朝鮮のミサイル飛来などが取り沙汰されていました。このように「立法過程における陽動と備給のパターン」が見て取れるわけです。

――これはもう支配の常套手段ですね。

秋嶋 ちなみに第203回国会では、FTAの撤回を求める請願書が提出されています。それには、FTAによって関税自主権や食料自給権が奪われるばかりか、経済主権や食の安全が脅かされると記されていました。そしてあたかも今の惨状を見通していたかのように、アメリカが（安全性が確立されていない）遺伝子編集型のワクチン接種を要求すること、日本は貿易協定の枠組みでそれを拒絶できないこと、その結果として薬禍が生じる可能性があることが述べられていたのです。

――しかし国民はそんな重大なことよりスポーツに関心があるという。

秋嶋　やはり大衆を熱狂させ動員するスポーツは、宗教と並ぶ支配ツールなのです。つまりスポーツはメディア・オクロクラシー《新聞テレビ等を用いる衆愚政策》の重要コンテンツなのです。

――全くその通りだと思います。

秋嶋　ここで注意しなくてはならないことは、国際試合を観戦する際には無意識にナショナリズム《国粋主義》が生じることです。つまり最も国家を疑い警戒しなくてはならない局面で、逆に国家との一体感や帰属意識が生じ、薬害や改憲などの重大問題を見過ごすという心理状態《サイグラム》が生じるのです。これはまさに「熱狂する民衆は御し易い」という言葉の通りです。

――実は弊社の広報が「ワールドカップの裏で危険な法案が作られようとしている。サッカーに注意を奪われてはならない」とツイートしていました。ところが寄せられた返信《リプ》は「盛り上がっているところに水を差すな!」、「代表選手が頑張っているのに何を言っているのだ!」、「歴史的な快挙を素直に喜べ!」といった罵詈雑言の嵐だったそうです。

秋嶋 白馬社のフォロワーは比較的リテラシー《情報選択能力》が高い層です。しかしそのような人々ですら易々とスポーツ熱に浮かれ、理性をかなぐり捨て、全体主義的に振る舞うわけです。やはり競技はローマ帝政時代から受け継がれる大衆操作の道具なのです。

——「パンとサーカス」という支配の方式が、2000年以上も変わらず続いているわけです。

秋嶋 ナチスがスポーツを奨励した理由もこれです。惑わされず冷静に物事を見極めようとする層もありますが、それはあくまで少数派です。圧倒的多数の国民はダークパターン《注意を奪う仕掛け》化した競技に惑わされ、何が問題であるか分からなくなっているのです。言い換えると「メディア・セット系の政治」によって不明に貶められているのです。

——それにしても情報化に伴い、教養のある者とない者の知性の差が、絶望的に大きく開いています。

秋嶋 それを「知識ギャップモデル」と言います。だから物事を深く考える人は増々アウトサ《社会の》イダー《異分子》化し孤絶を深めるのです。しかし歴史が示す通り、そんな知者の痛みが、やがて思想の軸となり、多くの人を照らすのです。だからむしろこのような時代に孤独であることを誇ればいいのです。

◉第5章

無知による奴隷化というリアル

財政の私物化が最悪の円安をもたらした

――歴史的な円安が取り沙汰されています。主な原因は日銀が為替介入に消極的なことだと言われています。つまり中央銀行が外貨準備金のドルを売り円を買わないことが円安の一番の原因だとされていますが、実際はどうなのでしょうか？

秋嶋　１８０兆円規模の外貨準備金の大半は、アメリカ国債という空手形の購入に充てられています。そしてその残りもＯＤＡ等で蕩尽され殆ど残っていません。要するに、この国は帳簿上の外貨資産を有するだけで、為替介入するだけのキャッシュがないのです。日本の対外純資産は４１１兆円で世界一と言いますが、この半分以上は民間の資産であって、国の資産ではありません。

――日本は莫大なアメリカ国債を購入していながら、保有権も決裁権もありませんからね。これはもう事実上のカツアゲと言っていいでしょう。

秋嶋　基幹産業だった製造業は過去20年で急速に衰退しています。だから日本製品の需要低下に伴い、通貨需要が低迷し、円安になるのは当然なのです。結局、新たな産業やイノベーションの創出に取り組まなかったツケが、円安として現象しているわけです。

――円安の問題は根が深いですね。

秋嶋　もっと言えば、アメリカ型の株主資本主義《シェアホルダー・キャピタリズム》を導入し、配当を倍増するため研究開発費を削り、技術者を大量解雇し、学費の高額化や学資ローンの金融商品化によって若者から学問の機会を奪い、人材の育成を怠った結果として通貨《エン》が暴落しているわけです。

――国力の低下が通貨の暴落を招いているわけです。

秋嶋　しかし円安の最大の原因は財政の悪化です。借換債を合わせ毎年１００兆円規模の国債が発行されていますが、これは１００兆円規模の(国債と交換された)余剰マネーが通貨《エン》を希釈していることを意味しています。これで円安にならないはずがありません。

――これはもう何年も前から秋嶋さんが指摘していたことです。

秋嶋 経済ボリュームを超えた紙幣を供給すれば、通貨が暴落するのは当然です。これは公債と通貨の基本原理であり、財政と為替の絶対法則です。アメリカのように、巨大な軍事力や、突出した産業創出力によって、自国通貨を基軸通貨にできる国は例外ですが。そもそも日本の場合、経済が年々縮小《シュリンク》する状態で天文学的な通貨を発行しています。だから円安になるのは当然なのです。

――その背景には巨大な官僚利権があることを前作の『無思考国家』で詳しく語って頂きましたが、読んでいない方のためにもう一度説明をお願いします。

秋嶋 公務員の給与、天下りの補助金、独立行政法人を始めとする外郭団体への給付金、財政投融資の返済（旧特殊法人の債務）など官僚部門の固定コストを合算すれば、国税額60兆円を軽く上回ります。だから国家予算の編成を全て国債という借金で賄うわけです。

この利権システムを「官僚帝国制」もしくは「腐敗官僚制《ビューロクラシー》」と言います。

――暗殺された石井紘基議員の予言通りになっているわけですね。公務員の貴族的特権のために、庶民の暮らしや中小企業の経営がメチャクチャになっているという。

秋嶋 だから僕はこのような債務依存体質《レバレッジ》が必ず通貨暴落をもたらすと警告してきたわけです。

――それなのに、国債を刷れば万事解決するというトンデモ理論が大流行しています。

秋嶋 ヒトは難しいことを考えないで済むように思考の枠組みを単純化するという説を「適合性理論」と言います。「国債を刷れ！」と言っている人たちは、過剰な国債によってどれほど為替が悪化しているか、どれほど国民負担率（所得に占める税金と保険料の割合）が増大しているか、どれほど経済が縮小しているかを全く考えません。ネットで少し検索すれば膨大な資料が入手できるにもかかわらずです。このように情報機器の普及に反比例して知性が劣化する「象徴的貧困」は現代の病理なのです。

「国債を恐れよ！」という絶叫の意味

――国債の発行高に比例して、税金も社会保険料も引き上げられ、為替は悪化しています。考えてみれば当然のことですが、それでもMMT《現代貨幣理論》を始めとする「国債礼賛論」の人気は根強いです。

秋嶋　何度も繰り返しますが、国民負担率（所得に占める税金と保険料の割合）は50％近くになっています。要するに給料の半分を国に取られているわけです。この状況で（国債の償還費を捻出するため）国民年金の納付期間の5年延長が図られています。そしてさらに消費税率の引き上げが検討され、高額医療費負担制度の廃止が着手されているのです。

——財政の悪化が国民を破滅させるわけです。

秋嶋　〝国債は国民の資産である〟という類のトンデモ理論を社会学では「誤謬推理」と言います。「誤謬推理」とは、もっともらしいけれども全く現実と噛み合わない詭弁という意味です。早い話、ホラ話です。だから国債の信奉者は、なぜ国債の発行と円安が同期《カップリング》するのか説明できないわけです。その程度の金融リテラシーもないわけです。

——円安になると株式や不動産も外国に爆買いされます。

秋嶋　そうやって猛烈な資産移転《アセット・トランスファー》が進んでいるのです。

——今後どうなると予測されますか？

秋嶋　おそらく日本はアジア通貨危機後の韓国のようになります。東証の外資比率は大体30％程度ですが、今回の円安を機に40％に迫ることは確実です。そうなると外国人による企業統治《コーポレート・ガバナンス》がさらに進みます。リストラが激しくなり、正社員は派遣に置き換えられ、賃金はずっと上がりません。こうして国民の生活はますます苦しくなります。

――「日本国債は外国からの借金ではない」というのが常套句になっていますが。

秋嶋　何度も言いますが、国債を所有している金融機関の大半が外資化しています。実質として日本の国債は外国からの借金です。国債の半分以上を買い取っている日銀だって東証上場の私企業であり、莫大な外国資本が注入されています。

――外資化した銀行を通じて、日本の国債は外国人に取得されているわけです。

秋嶋　国庫短期証券に至っては、その半分以上が外資に直接買われています。ざっと国債の70%が外資の間接所有、20%が外資の直接所有です。

――円安でバーゲンセールですから、外資はさらに日本の国債を買いますね。

秋嶋　株式（経済）と国債（財政）という二方向から日本の主権が解体されるわけです。「借りた者は貸した者の奴隷になる」という言葉の通り、内政も外交も国債の所有者である彼らの指示で決定されるようになるでしょう。というか、すでにそうなっています。

――このところ中国による膨大な不動産の購入が問題になっています。

秋嶋　繰り返しますが、すでに中国は北海道だけで静岡県に匹敵する面積の土地を取得しています。東京ドーム33個分の敷地をもつハウステンボスも中国に落札されています。九州には中国人子弟の専用校が開校しています。

――中国が円安トレンドに乗じて防衛の要地を買い漁ることは確実でしょう。

秋嶋　円安によって橋頭堡（戦争の拠点）が完成する図式です。このように経済的な諸力によって相手国を戦略的に支配することを「エコノミック・ステイトクラフト」と言います。だから防衛費を倍増したところで何の意味もないわけです。

――とんでもないことが起きているわけですね。

秋嶋　過剰な国債発行による円安は経済を破壊し、主権を喪失させ、国民を奴隷化するだけでなく、地政学的リスクすら増幅させるのです。これがまさに「国債を恐れよ！」というアダム・スミスの絶叫が意味するところなのです。

国債を礼賛するカルトに洗脳されないこと

——今の日本の状況を見ると、やはり財政の悪化が諸悪の原因ですね。

秋嶋　その通りです。例えば、政府は通貨《エン》の価値が半減するという超危機的な状況でも、金利の引き上げという抜本的な対策《テーパリング》を取ろうとしませんでした。その結果、ドンドン円安が進み、国民は物価高騰などの被害を被りましたが、それも財政の悪化が原因です。

——そこら辺を詳しくお願いします。

秋嶋　国は投資マネーが国債に流れるよう、常に国債の金利を預金金利より高く設定しなくてはなりません。つまり毎年100兆円規模の国債を発行し続けるには、預金よりも国債の運用を有利にしなくてはならない。しかし、国債は1300兆円という天文学的な額に累積している。そしてその金利が莫大な額に膨らんでいる。だから政府は支払い不能《デフォルト》を恐れ、金利の引き上げを躊躇したわけです。

——私も経済学の講義で「国債金利と預金金利は常に競合する」と習った覚えがあります。

秋嶋　この状況でもなお国債を発行し続けるには、通貨が暴落しても市中金利を低く維持しなくてはなりません。だから投資マネーが日本からドンドン逃避し、円安が加速していたわけです。それほどまでに日本の財政事情《ファイナンス》は悪化しているわけです。

——この仕組みを理解している人は殆どいないでしょうね。

秋嶋　ゼロ金利どころかマイナス金利になって、銀行に預金しても利息が全然付かないでしょ？　結局これも国債の過剰が原因なのです。繰り返しますが、累積した国債の金利を抑えるため、預金金利を低く設定せざるを得ないわけです。

――昭和の時代なら、10年も郵便局に預けていれば、利息がついて預金は2倍になったわけですからね。

秋嶋 国民は国債の過剰がもたらす異常な低金利によって、百兆円規模の預金金利を逸失しているわけです。それに全く気付いていないのです。

――「国債は国民の資産だ!」という流行りの言葉《キャッチ》がいかに狂っているかということです。現実は国債によって国民の暮らしはドンドン苦しくなっています。今回の円安による物価やエネルギーの高騰はその最たるものです。

秋嶋 マスコミは30年ぶりの円安だと騒いでいましたが、あれは「貨幣錯覚」だったのです。どういうことかと言うと、1ドル150円はあくまで名目値に過ぎません。物価ベースの実質値で換算すれば、1ドル300円という50年位前の水準にまで暴落していたのです。

――財政の悪化が国力の要である通貨を弱らせているのですね。

秋嶋　すでに特別会計の償還費は国税3倍相当の180兆円規模に達しています。そのため金利を引き上げられず通貨《エン》が毀損され、破滅的事態をもたらしているのです。

――なのにみんな「国債は国民の資産だ」と異口同音に叫んでいるという。

秋嶋　「国債は国民の資産だ」という標語《スローガン》がデタラメであることは、次のように論理学的に証明できます。

国債が資産なら元本利息が国民の口座に振り込まれる→だがそれは過去にも、現在にも、未来にもない。それどころか国債の元本利息分が課税され、国民負担率はすでに50％近くになっている→ゆえに国債は国民の資産ではない、という具合です。

このような証明のフローを「後件否定《モーダス・トレンス》」と言います。そもそも国の会計帳簿には、国債の元本金利を国税で（国債の所有者である）銀行に払っていることが記されているわけで、「国債は国民の負債である」ことは議論の余地すらありません。国債は利子証書であると同時に債務証書であるわけですが、これは最終的に国税によってのみ現金化されるのです。

――それが理解できるのであれば、「国債は国民の資産だ」なんて戯言《タワゴト》を信じないでしょうが。

秋嶋　何度も繰り返しますが、国債の90％以上は銀行によって所有されています。だから「国債は銀行の資産」です。銀行が国債を購入するのは、国が徴税権をかざし、国債の元本金利を、必ず国民から取り立てて払ってくれるからです。言い換えると、機関投資家が国債を購入するのは、リスクフリー・レート《必ず得られる利益》が徴税権によって担保されているからです。そもそも国債の入札権を持たない国民が、一体どうやって国債の所有者になれるのですか？

「債務者監獄国家」の住人であることを自覚する

——自民党が特例国債の発行に際し、「積極財政」という言葉を使ったことには驚きました。これは反自民の人たちが好んで使うスローガンですから。

秋嶋　与党は過剰な国債の反発を抑えるため、反政府的なネット住民が好むコピーを使ったわけです。つまり「積極財政」という流行り文句によって国債発行にコミット《方針合意》させたのです。

——そうやって、国債で国民を借金漬けにする体制に、反政府の人々をまんまと回収したわけですね。

秋嶋　「積極財政」という言葉は、国債の償還義務を課すことで国民を債務奴隷化させるための矛盾語《オクシモロン》です。分かりやすく言うと、ジョージ・オーウェルの『1984年』に出てくる正常な思考や判断を歪めるための新言語《ニュースピーク》みたいなものです。

――「国債は国民の資産だ！」とがなったところで、国債の発行に比例して国民負担率は増大しています。

秋嶋　国債が発行された分だけ、毎年その元本利息分がガッツリ課税されているわけです。そんな国民の奴隷的実態を『1984年』方式で分からなくさせているのです。つまり「戦争は平和だ！」、「無知は力だ！」、「隷属は自由だ！」と唱和させるのと同じノリで教化しているのです。そうやって「国債はみんなの資産だ！」→「そうだ！　国債は我々の資産だ！」とコール・アンド・レスポンス《掛声と応答の繰り返しによる洗脳》をやっているわけです。

――その自覚がないことが恐ろしいですね。

秋嶋　これは一つの言語政策です。「あらゆる哲学は言語批判的である」というヴィトゲンシュタインの知見に倣い、言葉の使い方を厳しく点検しなければなりません。

――言葉の操作によって意識を操作されているわけですね。

秋嶋 日本が取り組まなくてはならないことは国債の発行ではなく、国の会計から無駄と利権を排除することです。天下り予算だけで国防費の2倍以上の税金が使われているわけですから。そうやって捻出したカネを福祉や、教育や、年金や、医療に再配分しなければなりません。そして国債の発行高を最低限に抑え、国民が償還のために生涯使役される「債務者監獄国家体制」を終わらせなくてはならないのです。

――MMT《現代貨幣理論》などの流行りの財政理論には、現代特有の事情があるように思います。つい20年位前なら、到底恥ずかしくて言えないことを大の大人が平気で口にしているわけですから。

秋嶋 現代人の知性劣化の大きな原因の一つとして、スマホなどの端末が活字本に取って代わったことが挙げられます。どういうことかと言うと、これらのコンテンツは「フレッシュ指標」を重視します。「フレッシュ指標」とは、知的負荷が低く読みやすいこと、単純でおもしろいことの目安という意味です。だからそれに慣れてしまうと、基礎学習を要する高度な思考が覚束なくなるわけです。

――SNSの議論もレベルが低くなっていますからね。

秋嶋　国債や財政の問題を専門家気取りで語る人が増えていますが、大半はツイッターなどの寸言を、そのままオウム返しにしているだけです。はっきり言いますが、〝国債は国民の資産である〟とか〝自国通貨建て国債は破綻しない〟という常套句は典型的な「バズワード」です。「バズワード」とは耳障りが良くてカッコいいけれど、事実ではない流行り言葉という意味です。要は、国債を語りながら、国債の定義や、償還の仕組みや、金利の仕組みや、為替の影響を知らないどころか、資産や負債の意味すら分かっていないわけです。

――『ネット・バカ』という本が売れていましたが、タイトル通りの人が大増殖しているわけです。もっとも私も自戒しなくてはなりませんが。

秋嶋　我々はSNSや電子メールなどの簡略化されたテクストによって、修辞や語彙の運用力を急速に失いつつあります。つまりグーテンベルクの活版印刷によって獲得した高度な脳力を放棄しようとしているのです。これはまさに「ヒトがモノを作るのと同様にモノはヒトを作る」という人類学者D・ミラーの洞察通りの状況です。やはりネットは知性の進歩ではなく退歩をもたらしたのです。

人間を人間たらしめるものが崩壊した

――福島原発事故で避難を余儀なくされた住民が、国と東京電力に損害賠償を求めた裁判で、最高裁は「想定外だった」と棄却しました。酷い話ですね。

秋嶋 すでに原告の約40分の1にあたる110人余りが死亡しています。それを見越して、裁判を長期化させたのかもしれません。

――想定外だろうが何だろうが、原発行政の瑕疵によって生じた事故であることに変わりありません。原告の方々は本当に気の毒です。

秋嶋　かつて小著に「原発事故の賠償を求め起訴しても、結審する頃には原告の多くが亡くなっているだろう」と記しましたが、やはりこの見立てに間違いはなかったわけです。

――原発事故は全く収束していません。今後１０００年は手が付けられないでしょう。

秋嶋　汚染水の放出や、除染土の拡散が、さらに状況を悪化させています。このような中で今回の判決が下されたのです。そしてこれは今後の裁判の判例になります。

――健康被害が出ても、裁判所は放射能との因果関係を認めない、ということですね。

秋嶋　日本の裁判所は判例主義です。原発事故の被害者の救済は今回の判決で実質断たれた、と言っても過言ではありません。これほどの重大問題が国民的な議論に発展しないのは、マスコミが統制され、学識者や文化人に箝口令が敷かれているためです。

――戦時に匹敵する情報統制が敷かれているわけです。

秋嶋　「放射能は有害ではない」というフェイク科学や、「日本は原発事故を克服した」というフェイク歴史が幅を利かせていますから、国民の関心も薄いのです。

――すでに日本は「破綻国家」と言ってもいいでしょう。政府は除染土の安全基準をユルユルに引き下げ全国にばら撒こうとしています。

秋嶋　そうなると日本の全域が非エクメーネ（居住も経済活動もできない場所）化するでしょう。これを受け、フランスのヴェオリア社は放射性廃棄物の処理事業をぶち上げ、世界中から核ゴミを引き取り日本に埋設すると表明したのです。

――このビジネスが大盛況となることは間違いありません。

秋嶋　すでに同社は莫大な投資マネーを集めています。支配人種《マスターレイス》は願ったり叶ったりでしょう。

――この国を動かしているのは外国の資本ですからね。

秋嶋　「ユーラシア大陸の極東に位置する支配地域で巨大な原発事故が起きた。これを核ゴミの廃棄場にすれば再利潤化できる」という地政学的な判断が下されているのではないでしょうか。だとすれば、全ては新しい地図作成構想《カルトグラフィ》の下で進行しているのです。

――今の日本の民度ではこの状況を理解し対処することは難しいでしょう。国民の質を高めるための文化が腐っているからどうしようもありません。

秋嶋　有名文学賞作品の劣化が指摘されて久しいですが、これも人間や社会という高度な概念の抽象を不能にさせるための衆愚政策《オブスキュランティズム》なのだと思います。要するに支配層は国民が知的になることを妨げているわけです。しかし文学は国民共通の教養として民族精神《エスニシティ》を形成する重要コンテンツです。それが劣化するのは由々しき問題ですよ。結局のところ、国民の理解の覚束なさはこのような「社会的被拘束性」の産物なのです。「社会的被拘束性」とは、その時代の体制によって民度が決定されるという意味です。つまるところ、今の日本の破滅状況は、政治と、経済と、文化の総合的な作用の結果なのです。

ニホンという滅び行く国に生まれた子どもたち

――原発事故の問題が国会で全く取り上げられませんが、岸田政権もこれを終わったことにしたいのでしょうね。

秋嶋　鳩山由紀夫を筆頭に歴代総理大臣5名が、福島の子どもたちが甲状腺癌で苦しんでいるとして、原発政策の見直しを求める書簡を欧州連合に送りました。ところが与党の族議員たちが「誤った情報で偏見や差別につながる」などと言って撤回を求めたのです。とんでもない話ですよ。

――現実として被災地では深刻な健康被害が出ています。

秋嶋　原発産業の御用機関であるＵＮＳＣＥＡＲのレポートによると、福島県内で発症した甲状腺がんは被曝が原因ではないと記されていますが、これは明らかにデッチ上げです。被災地の病院の調査によると小児甲状腺癌は、３・11を契機に１００倍以上も増加しています。

――原発事故の直後に専門家たちが予想した通りになっているわけですね。

秋嶋　それなのに、最長60年に定められていた原発の運転規制が撤廃されます。そもそも日本は世界の巨大地震の20％が集中する「地震大国」なのに50を超える原発があるわけです。この状況で老朽原発の運転を続ければどうなるかは、子どもが考えても分かることです。

――南海トラフなどの巨大な地震が今後確実に発生するでしょう。福島原発のような事故が必ずと言っていい確率で起きるわけですからね。

秋嶋　しかも原子力緊急事態宣言は解除されていません。12年間にもわたり「レベル７」という最悪の事態が続く中で、老朽原発の運転を延長するなんてキチガイ沙汰です。

――やはり動機は経済《カネ》ですね。

秋嶋　原発は耐用年数を過ぎると負債に勘定されますが、運転が延長となれば（償却期間が伸びるとなれば）、それが一転して資産に勘定されます。つまり運転の延長によって赤字を黒字にできるのです。そしてさらに新しい原子炉の建設費用を抑えることで配当を倍増できるわけです。

――企業の利益のために、国民が途方もないリスクを負わされるのですね。

秋嶋　株主である外資系信託銀行の意向も大きいでしょう。グローバル投資家は四半期毎の短期で高いリターンを得ることを目論見ますから。

――高配当が得られるのであれば、日本が原発事故で滅びようが知ったことではないわけです。

秋嶋　それが「生命や環境を一元的な貨幣評価に還元する」という市場原理主義のエートス《基本精神》な

のです。

――国内外の拝金主義者たちが老朽原発の運転延長を命令した、と考えて間違いないでしょう。

秋嶋 原発の運転の延長は、日本の「実体的権力」がグローバル金融であることを証明したわけです。「実体的権力」とは、強制的に服従させる諸力という意味です。そして、それと同時に「責任倫理」の非在という問題を浮き彫りにしたのです。「責任倫理」とは、行為の結果を予測しその責任を負うという意味です。結局この国の現世代は、次世代のことなど全く考えていないのです。ひたすら今の自分たちさえよければそれでいいという共時的な思考に徹し、環境や、社会や、生命を次の世代に繋ごうとする通時的なモラルを持たないわけです。

――「それは政治家や企業人たちであって、国民はそうではない」という反論もあるでしょうが。

秋嶋 しかし国民はこの局面においても「心情倫理」を持ちません。「心情倫理」とは、国家の暴力が行使される次元に生じる反抗的な精神という意味です。

――そのような不甲斐なさは、一連の薬害《ワクチン》問題でも同じです。

秋嶋 これほど被害が顕在化しているのに、大した抗議運動が起きませんからね。国民も、学者も、教育者も、文化人も、ジャーナリストもみんな沈黙している。誰も子どもたちの未来に責任を持とうとしない。原発とワクチンという二つの大問題が「責任倫理」の非在を告発しているのです。

――今や倫理という言葉すら消えようとしています。

秋嶋 次世代の在り方は現世代の行為によって決定されることを「非同一性問題」と言いますが、今の大人たちの振る舞いによって子どもたちの未来は悲劇的なことになるでしょう。

「科学に対する戦争」の勃発

——環境省が福島の除染土を所沢や新宿御苑に運び、再利用の実験を行うとのことですが、とんでもない話ですね。

秋嶋　除染費用は最終的に40兆円を超えると試算されます。これほど莫大な税金を投じる理由は、土壌に含まれる諸々の核種が危険極まりないからです。放射性物質がとてつもなく有害だから、途方もないカネをかけて除染しているわけです。

——それをわざわざ首都圏に持ち込むなんてイカれています。

秋嶋　これは典型的な「二重思考《ダブルシンク》」です。つまり「被災地の土壌は危険だから除染する」と主張する一方で、「被災地の土壌は安全だから再利用する」と正反対のことを言っている。そうやって相反する成句《イディオム》を組み合わせ、国民の理性を粉砕しているのです。

――まさにジョージ・オーウェルのＳＦ小説そのままの支配の方式です。

秋嶋　福島の土壌の放射線量の中央値は、キロ当たり１２９１ベクレルだそうです。除染地域の土壌は、当然それよりも放射線量が高いわけです。

――それが人口が過密する東京や埼玉に持ち込まれるとどうなるかは、子どもが考えても分かることです。

秋嶋　原発事故以降、被災地では白血病や、各種のがんや、心臓病などが増加しています。だからこそ放射性物質がこれ以上拡散しないよう、旧ソ連政府が取り組んだように、あらゆる手を尽くして封じ込めなくてはなりません。

――ところが日本はその全く逆を実行しています。

秋嶋　このような「反照的均衡」の非在は、今や我々の実存を根本から脅かしているのです。「反照的均衡」とは、物事を科学に照らし判断する能力という意味です。こうして非科学と迷信がゴリ押しされているのです。或る学者はこの状況を「科学に対する戦争」と称しています。

——環境省は、今回の措置はあくまで除染土の再利用に向けた実験だ、と言い張っていますが。

秋嶋　しかしそれに含まれるストロンチウム90の半減期は29年、セシウム137は30年、プルトニウムは2万4000年、ウランに至っては実に45億年です。つまり放射性物質が半永久的に有害であることは、実験するまでもない科学的事実なのです。しかしこのような原基的（判断の大元になる常識的）な指摘や、セーフティケース（安全を確保するための計量的な検討）が皆無なのです。要するにチェックが意図的に空洞化されているのです。

——とりあえず住民への説明会を開催したとのことですが。

秋嶋　広範な意見聴取ではなく、参加資格を近隣住民に限定しています。しかも参加人数を僅か数十名に絞り込むというあきれた手口です。つまりこれは「説明義務を果たした」という既成事実を作るための儀式に過ぎないのです。

――これほど危機的な状況なのに、政治家も、マスコミも、知識人も沈黙しています。

秋嶋　これは日本が「閉鎖的権威主義」であることの証明です。「閉鎖的権威主義」とは、支配層に不都合なことは議論も問題化もされない体制という意味です。

――この国の何もかもが腐っています。

秋嶋　新聞も、テレビも、与党も、野党も、学会も、司法も原子力帝国《アトミック・ステイト》に与しています。だから除染土問題が議論されることも、国政の俎上に載ることも、違憲審査されることもないのです。

――なのに国民は平和な日常が続いていると思っています。

秋嶋　国民はメディアに幻惑され、社会的リアリティを失い、もはや恐怖の感情すら抱かないのです。すなわち「予防的無痛化（支配装置が先んじて葛藤の原因となる知識や情報を取り払う行為）」により日本社会は「無痛文明（葛藤が無い代償として理性や人倫の営為が消滅した体系）」と化しているのです。

文明とは人間を自己家畜化するシステム

――除染土が首都圏に持ち込まれるというのに、国民の関心は薄いですね。

秋嶋　統一教会スキャンダルなどが格好のスピンになっていたのです。こんな具合にある問題が目立つと他の重大な問題が目立たなくなることを「図地分化」と言います。

――野党もこれに殆ど抗議しませんでした。

秋嶋　社民党と共産党の僅か数名の議員が反対意見をツイートしただけです。そもそも野党も電力会社のロビー団体である電気事業連合会や、電力会社の組合組織である電力総連などから支援されていますからね。

――だから野党も電力業界に差し障りのある問題に突っ込めないわけです。

秋嶋　もはや野党の集団凝集性（支持者を集める力）は、「野党は与党の横暴に抗い戦っている」という期待感的な妄想だけです。ちょっと難しい言い方をすると、今や野党という言葉そのものがクリシェ《機能しない言葉》化しているのです。

――しかし除染土を持ち込めばどうなるかは考えるまでもありません。

秋嶋　２００７年に制定された「放射線発散処罰法」には、放射線で健康や財産に被害をもたらした場合、無期もしくは２年以上の懲役を科すことが謳われています。だから人口過密地帯での除染土の再利用実験はどう考えても違法です。

――原発事故以降この国は無法地帯化しています。

秋嶋　恐ろしいことは、環境省が廃棄物の安全基準を（東日本大震災前まではキロあたり１０

0ベクレルでドラム缶に入れ地中深く埋設して管理することを義務付けていたものを）8000ベクレルに緩めていることです。

――フランスのヴェオリア社が、世界中の核廃棄物を引き取り、日本に埋設するビジネスを推進していることも、関係あるのではないでしょうか。

秋嶋　当初この事業の予定地は東北地域だけでしたが、除染土が全国に拡散すれば、候補地も全国に拡大します。つまり「今や日本の至るところが東北と同じ位の線量なのだから、どこに埋めても同じだ」という理屈で、核ゴミの処理場があちこちに作られるのです。そのような期待によるのかは断言できませんが、下落傾向にあったヴェオリア社の株価は20％も伸長しています。

――しかしそんなことをすれば、国民だけでなく、政治家も、官僚も、その家族にも被害が及びます。

秋嶋　ミシェル・フーコーの文明論によると、いかなる不条理も無思慮に受け入れせしむることが「ノーマライゼーション《権力による人間の規格化》」なのです。その意味において日本は「高度に文明化した社会」なのです。

――だから除染土が持ち込まれるのにボケーッとしているわけだ。

秋嶋　「動物は人為によって家畜化し、人間は文明によって家畜化する」という言葉の通りです。文明とは英知の営みではなく、人間を自己家畜（本能を放棄し育種や繁殖や処分の容易な動物）化させる諸システムの集合なのです。

――自己家畜化という言葉はまさに今の日本人の様相を表しています。

秋嶋　マルクスの言う「物象化」も同じような意味です。いずれにしろこの問題は、支配装置に操作される過程で産業動物（経済動物）化する我々の実存を示唆しているのです。にもかかわらず人々は平和で、安全で、民主的な社会があると信じて疑いません。このような集合的妄想こそがランドスケープ・イマージョン《疑似現実を現実だと錯覚させる技術》という飼養の檻なのです。

現実と虚構の区分が破壊される

——コロナワクチンの接種と超過死亡の推移が一致し、接種を重ねるほど死亡率が高まる実態が指摘されています。

秋嶋　問題は超過死亡だけではありません。今や日本の出生数は80万人を下回り過去最低を更新しています。つまり人口そのものが加速度的に減少しているのです。

——日本民族は激減中なのですね。

秋嶋　ファイザー社の有害事象報告には1291種もの副作用が記されています。当の製薬会社がワクチンの危険性を認めてるわけです。だから今起きていることの全てが想定内なのです。

――政府も企業も無責任です。賠償金だって税金ですから、国民が全てのリスクを負うことになります。

秋嶋 国立遺伝学研究所の内部告発によると「コロナワクチンのDNAが今後どのように人体で挙動するかは全く不明で、一連の集団接種は壮大な遺伝子組み換え実験に等しい」とのことです。これがもし事実だとすれば、続々と報告される死産や、不妊や、副反応は「結果」ではなく「前兆」なのです。

――本当に恐ろしいことが起きるのは、これからということですね。

秋嶋 だから我々は静的情報（すでに知られた情報）と、動的情報（これから露出する情報）の両方に注意を払わなくてはならないのです。

――なのに与党も野党も接種の中止を提言しません。

秋嶋　それどころかこの問題に言及しないよう所属議員を厳しく党議拘束しています。これはまさに日本の国会がトランスガバメンタリズム《多国間に跨る資本の政治支配》に服する証明です。要するに、全ての政党が越境的な利益政治に与しており、その位階の頂点にある製薬会社と投資銀行には絶対逆らえないのです。

――ところでその後も除染土の再利用が進められていますが、これはワクチンに匹敵する巨大社会リスクと言っていいのではないでしょうか。

秋嶋　実は2045年までに被災地の除染土を福島県外で最終処分することが法律化されています。だからどれほど反対したところで、放射性核種を含む除染土の受け入れは拒むことができないのです。

――そんな重大なことが、国民の知らないところで決まっていたのですね。

秋嶋　もっともこの問題が事前に周知されていたとしても、「メディア世論（マスコミが捏造する世論）」によって「外部世論（本当の世論）」が掻き消され、同じ結論になっていたでしょう。

――「除染土を引き受けて被災地を応援しよう！」みたいなキャッチで国民は納得していたかもしれません。「食べて応援！」というスローガンの狂気が分からない程の民度ですから。

秋嶋　もはやこの国に制度的保障（生存権を保障する法律の機能）はありません。すでに我々は人権という言葉が空語になった次元を生きているのです。

――放射性物質を含む土砂を持ち込んだらどうなるか、実験するまでもないことです。

秋嶋　「環境放射能除染学会」という組織が中心となり除染土の再利用事業を進めています。はたしてその構成メンバーは、環境省や、日本原子力開発機構など、電力会社のステークホルダーばかりです。つまり最初からアセスメント《安全性の検証》に取り組む気などないわけです。

――原子力村の身内で固めているわけですから当然そうなります。

秋嶋　健康被害が出たところで、この組織の息のかかった学者たちが「除染土の再利用実験との関係は考えにくい」と口を揃えて声明し、因果的考察《エティオロジー》を無効にする手はずでしょう。「現代政治の特徴は事実の隠蔽ではなく、現実と虚構の区分の破壊である」というハンナ・アーレントの言葉通りの状況です。

——そして今後さらに官民が１５０兆円を出資し原発行政を推進するという。全く気が狂った話です。

秋嶋　この国は「レベル７」という最悪の原子力災害の収束の目処が全く立たない状況で、原発を再稼働させ、老朽原発の運転を延長し、さらに新しい原発の建設に着手し、破滅に突き進んでいるのです。

——一人一人が生き残り方を真剣に模索する時代になっています。

秋嶋　ワクチン問題と原発問題は、どれほど失敗しても同じ意思決定を繰り返す「エスカレーティング・コミットメント」という傾向で同定されます。つまりこの二大問題はソー《社会》シャルダンピング《環境の投げ捨て》とエコダンピング《生命環境の投げ捨て》を同時に惹起しており、日本を世界地図から抹消する「文明の黙示録的災禍」なのです。

昆虫食が語る世界のディストピア化

――昆虫食がもてはやされていますが、全く気が狂った話ですね。

秋嶋　人類が昆虫を食してこなかったのは、その消化酵素を十分に持たないことや、体内で酸化グラフェンなどの毒物が生成されることを体験的に知っていたからです。また、昆虫はヒトに食べられないようにするため、そうやって自衛的に進化してきたわけです。

――東南アジアなどの一部の地域では昆虫食文化がありますが、それだって主食ではありません。

秋嶋　今マスコミがこぞって取り上げるGMコオロギは、遺伝子への影響が指摘されています。つまりこれはコロナワクチンと同じく「トランス・サイエンス的問題」なのです。どういうことかと言うと、政治的な思惑や経済的な利害によって、科学に基づく予測や判断が歪められているのです。

――ワクチンも昆虫食も利権の産物だということです。

秋嶋　そもそも政府は「世界的な食糧危機」を煽る一方で、「食料生産の過剰」を理由に50年以上も減反を推進しています。そしてそれによって生じた膨大な耕作放棄地を外資に売り飛ばしたり、太陽光発電施設などに転化しているわけです。

――やっていることが矛盾しています。

秋嶋　それればかりでなく、「生産抑制」と称して生乳を毎日1・75トン廃棄する一方で20トン輸入し、鳥インフルエンザで陽性と認定された場合は、鶏卵を含め全て処分するよう指導しています。要するに国策として自国の農業畜産を壊滅させているわけです。つまりこれは「計画的な食糧難」なのです。

——今や日本の食料自給率は38％という先進国最悪レベルです。

秋嶋　種子法の廃止により種苗の外国依存度が高まることを考えれば、数年後には20％台にまで下がるでしょう。さらに中国との関係が悪化し、リン酸などの肥料が入って来なくなれば、10％以下にまで下がりますよ。

——それにしても「昆虫食推し」の阿呆らしさには閉口します。

秋嶋　日本は世界平均の2倍の降雨量があり、河川や地下水の質がよく、土壌の生産性も高いことから、荒廃農地を利用すれば米や大豆の増産が可能です。その余剰を飼料に充てれば、動物性タンパク質も十分賄うことができるのです。

——政治家も農水省も、本当はそれを分かっているのでしょうね。

秋嶋　昆虫食という狂人的なシナリオ・プランニング《将来への対処法》の裏には多国間に跨る利権構造があるのです。

――そこら辺を詳しくお願いします。

秋嶋　ことの発端は2013年に国連食糧農業機関《FAO》が「人口増加により2050年頃には深刻な食糧危機に陥る可能性がある」と発表し、昆虫食を推奨したことです。これにより「昆虫というスーパーフード」が投資案件として一躍脚光を浴びたのです。

――そんなことは全く知りませんでした。

秋嶋　それ以来各国で昆虫食材の研究が進み、開発企業は300社近くに達しています。米国のシリコンバレーでもフードテック・ベンチャーの創業が相次ぎ、今や「ゲノムフード・バブル」とでも称すべき投機熱が生じているのです。すでに日本のフードテック企業数はアメリカに次いで世界第2位ですが、当然これにも外資が注入されています。

――やはり昆虫食の背景には金融経済があるわけだ。

秋嶋　中でもビル・ゲイツや、（Googleの）セルゲイ・ブリンや、（バージングループの創設者である）リチャード・ブランソンなどが出資するアップサイド・フーズ社はその最有力企業です。昆虫食や人工培養肉《クリーン・ミート》の普及を目論む多国籍なフードテック企業は、今後日本を市場化する目論見です。

――だから新聞テレビが広告費をもらってプッシュしているわけです。

秋嶋　連日にわたるマスコミの称揚報道は（昆虫食を素晴らしいことであるかのように伝える番組やニュースは）、その前哨となるキャンペーン・コミュニケーションなのです。

――これはワクチン推しと全く同じ構図ですね。

秋嶋　彼らは高リスクなゲノム食品を日本の糧食の主体に置き換えるために生産者を撲滅しようとしています。だから我々はこれを単なる食料問題ではなく、オールハザード・アプローチ（主権、健康、文化、経済など多面的な危機の問題）として捉えなければなりません。

――もっともこれは日本だけの現象ではありません。ＥＵ諸国でも畜産農業を衰退させ昆虫食に代替する政策が進められています。

秋嶋　アメリカでは食品工場の爆破や火災などのテロが相次ぎ（否が応でも食料の生産と流通を見直さなくてはならない状況に市民を追い詰めており）、ウクライナ危機による食料不足がこれをダメ押しする格好です。つまり全ては世界経済フォーラムが策定したタイムテーブル《時間工程表》通りに進行しています。結局のところコロナワクチンも昆虫食も、ダボス階級のアセットクラス（事前のシナリオ通りに値動きをする金融商品）なのです。

――それにより我々の健康や生命は今後さらに脅かされます。

秋嶋　GM《遺伝子組換》昆虫食がもたらすヒトゲノムの改変により、一体何が起きるのか予想もつかないわけです。しかしこのド級の有害事象は未だ周知されておらず、我々の世界は増々エントロピック《元に戻せない崩壊的》な混沌を呈しているのです。

※本書に収録された用語は、社会学、政治学、哲学、現象学、心理学などの正統な学術用語であり、作者の造語ではありません。

あとがき

ネットゲリラこと山田博良さんの訃報が届いたのは、本書を執筆していた今年《2023》の1月のことでした。

しかし僕にはそれが現実とは思えず、むしろ現実と認めることができず、逃げるような思いで何日かを過ごしていたのですが、いよいよ葬儀が告知され、怒涛のような寂寥に見舞われたのです。

山田博良さんとのお付き合いは、ベンジャミン・フルフォード氏との対談本をブログで紹介して頂いたことがきっかけでした。白馬社の書籍がアマゾンで取り扱い停止になった際には、運営サイトでの販売を申し出て頂き、以来ずっと小著をバナー《画像広告》に添えて下さり、まさに山田博良さんは僕の大恩人であると同時に、作家・秋嶋亮の育ての親だったのです。

また言論人としての山田博良さんは「仰ぎ見る巨星」でした。その該博な知識でぶった切るスタイルは、学際（様々な学問の領野を越境的に横断する知性）を要《かなめ》とする社会学の手本であり、僕が受けた影響は計り知れません。

大変僭越ですが、山田博良さんの傑出性は、ブルジョアジーとプロレタリアートという二極の視点から、人間・社会を考察できる稀有な能力にあったと僕は分析しています。これはポルノ雑誌編集者から企業の総帥まで務めた、起伏ある濃厚な人生の賜であり、我々はこのような懐が深く、猥雑で、碩学《せきがく》で、時に露悪的な、聖と俗を往還する破天荒な言説にしびれたのです。

しかし我々が最も共感したのは、弱者に対する優しい眼差しであり、圧制者に対する激しい怒りであり、森羅万象を慈しむ繊細な感性であり、多情多恨な不良少年のごとき一面であり、生きることを愉しみ尽くす豪快な人間的魅力だったのだと思います。

晩年は知名度が上がるにつれ弾圧が強まり、バッシングやサイバー攻撃に苦慮されていたのですが、彼は怯むこと無く最後まで信念を貫き通しました。言論に関わる全ての者が、この生き様を見習うべきでしょう。

かくも論壇が腐敗し、リベラルが骨抜きにされ、知識人が幇間《ほうかん》化した昨今、山田博良さんはそんな思想の大空位時代に投げ込まれた爆弾のような人物であり、「ネットゲリラ」というタイトルそのままに痛快な人生を全うしたのです。

しかし我々は「ご冥福をお祈りいたします」などという予定調和の言葉《ストックフレーズ》で終わってはなりま

せん。
これからは一人一人が山田博良さんの後継者として、自分の媒体を立ち上げ、コミュニティを主催し、情報の発信源となり、抵抗者として声を上げ、言論の自由を守らなくてはならないのです。

つまりこれからは、我々自身が「ネットゲリラ」になり、この国の破滅に歯止めをかけなくてはならないのです。そしてその決意さえすれば、故人は個々の内に復活し、再び共に歩むことができるのです。

人間の魂の不滅は、我々の行為によって証されるのです。

筆者　拝

参考文献

『監視文化の誕生―社会に監視される時代から、ひとびとが進んで監視する時代へ―』デイヴィッド・ライアン　青土社
『パンデミック監視社会』デイヴィッド・ライアン　筑摩書房
『ウクライナ紛争　歴史は繰り返す』馬渕睦夫　ワック
『現代資本主義と新自由主義の暴走』二宮厚美　新日本出版社
『日本における地政学の受容と展開』高木彰彦　九州大学出版会
『地政学の逆襲』ロバート・カプラン　朝日新聞出版
『退屈とポスト・トゥルース　SNSに搾取されないための哲学』マーク・キングウェル、小島和男　集英社
『ポストトゥルース』大黒岳彦　青土社
『グローバリズムという病』平川克美　東洋経済新報社
『良き社会のための経済学』ジャン・ティロール　日本経済新聞出版社
『宗教地政学から読み解くロシア原論』中田考　イースト・プレス
『アメリカ民主党の欺瞞　2020―2024』渡辺惣樹　PHP研究所
『独裁の政治思想』猪木正道　KADOKAWA
『ナチス・ドイツの優生思想』中西喜久司　文理閣
『デジタル化する新興国―先進国を超えるか、監視社会の到来か』伊藤亜聖　中央公論新社

『幸福な監視国家・中国』梶谷懐、高口康太　ＮＨＫ出版
『憲法改正が「違憲」になるとき』ヤニヴ・ロズナイ　弘文堂
『個人と社会―人と人びと』ホセ・オルテガ・イ・ガセット　白水社
『メディアに操作される憲法改正国民投票』本間龍　岩波書店
『だれも知らない日本国の裏帳簿』石井紘基　道出版
『マイナンバーはこんなに恐い！国民総背番号制が招く〝超〟監視社会』黒田充　日本機関紙
出版センター
『私たちはどこにいるのか？』ジョルジョ・アガンベン　青土社
『ホモ・サケル　主権権力と剥き出しの生』ジョルジョ・アガンベン　以文社
『例外状態』ジョルジョ・アガンベン　未来社
『哲学とはなにか』ジョルジョ・アガンベン　みすず書房
『カール・シュミット　ナチスと例外状況の政治学』蔭山宏　中央公論新社
『危機の政治学　カール・シュミット入門』牧野雅彦　講談社
『政治的なものの概念』カール・シュミット　未来社
『植民地支配と環境破壊―覇権主義は超えられるのか―』古川久雄　弘文堂
『国家緊急権』橋爪大三郎　ＮＨＫ出版
『プロパガンダ株式会社』ナンシー・スノー　明石書店

『25%の人が政治を私物化する国』植草一秀　詩想社
『国家はいつも嘘をつく　日本国民を欺く9のペテン』植草一秀　祥伝社
『日本はなぜ「基地」と「原発」を止められないのか』矢部宏治　集英社インターナショナル
『インテリジェンス人間論』佐藤優　新潮社
『人間復権の論理』　羽仁五郎　三一書房
『君の心が戦争を起こす—反戦と平和の論理』羽仁五郎　光文社
『自伝的戦後史』羽仁五郎　講談社
『読書脳』立花隆　文藝春秋
『裏切りの世界史』清水馨八郎　祥伝社
『侵略の世界史』清水馨八郎　祥伝社
『資本主義崩壊の首謀者たち』広瀬隆　集英社
『東京が壊滅する日　フクシマと日本の運命』広瀬隆　ダイヤモンド社
『1984年』ジョージ・オーウェル　早川書房
『カタロニア讃歌』ジョージ・オーウェル　現代思潮新社
『ならず者の経済学』ロレッタ・ナポレオーニ　徳間書店
『ネット・バカ　インターネットがわたしたちの脳にしていること』ニコラス・G・カー　篠儀直子（翻訳）　青土社

『スノーデンファイル　地球上で最も追われている男の真実』ルーク・ハーディング　日経BP社
『政治学の基礎』加藤秀治郎　一芸社
『脳と心の洗い方　なりたい自分になれるプライミングの技術』苫米地英人　フォレスト出版
『雇用破壊　三本の毒矢は放たれた』森永卓郎　角川書店
『地下経済　この国を動かしている本当のカネの流れ』宮崎学　青春出版社
『放射能が降る都市で叛逆もせず眠り続けるのか―抵抗の哲学と覚醒のアート×100』響堂雪乃／281_Anti Nuke　白馬社
『北朝鮮のミサイルはなぜ日本に落ちないのか―国民は両建構造に騙されている』秋嶋亮　白馬社
『移民の経済学』ベンジャミン・パウエル　東洋経済新報社
『移民の政治経済学』ジョージ・ボージャス　白水社
『不寛容な時代のポピュリズム』森達也　青土社
『メディアに操作される憲法改正国民投票』本間龍　岩波書店
『除染と国家　21世紀最悪の公共事業』日野行介　集英社
『サピエンス全史(上下)文明の構造と人類の幸福』ユヴァル・ノア・ハラリ　河出書房新社
『ギデンスと社会理論』今枝法之　日本経済評論社

『現代政治学』堀江湛（編）、岡沢憲芙（編）　法学書院
『TPPすぐそこに迫る亡国の罠』郭洋春　三交社
『透きとおった悪』ジャン・ボードリヤール　紀伊國屋書店
『北朝鮮が核を発射する日　KEDO政策部長による真相レポート』イ・ヨンジュン　PHP研究所
『プロパガンダ教本』エドワード・バーネイズ　成甲書房
『アメリカはなぜヒトラーを必要としたのか』菅原出　草思社
『泰平ヨンの未来学会議』スタニスワフ・レム　早川書房
『アメリカの国家犯罪全書』ウィリアム・ブルム　作品社
『知の考古学』ミシェル・フーコー　河出書房新社
『言説の領界』ミシェル・フーコー　河出書房新社
『エクリチュールと差異』ジャック・デリダ　法政大学出版局
『現象学』ジャン・フランソワ・リオタール　白水社
『ヨーロッパ諸学の危機と超越論的現象学』エドムント・フッサール　中央公論社
『デカルト的省察』エドムント・フッサール　岩波書店
『間主観性の現象学』エドムント・フッサール　筑摩書房
『デリダ脱構築と正義』高橋哲哉　講談社

『イデオロギーの崇高な対象』スラヴォイ・ジジェク　河出書房新社
『社会学の方法』新睦人　有斐閣
『マクドナルド化の世界』ジョージ・リッツア　早稲田大学出版部
『神話・狂気・哄笑――ドイツ観念論における主体性』マルクス・ガブリエル、スラヴォイ・
ジジェク　堀之内出版
『ハンナ・アーレント　公共性と共通感覚』久保紀生　北樹出版
『法の原理　人間の本性と政治体』トマス・ホッブズ　岩波文庫
『正義の境界』オノラ・オニール　みすず書房
『方法序説』ルネ・デカルト　岩波文庫
『討議と承認の社会理論―ハーバーマスとホネット』日暮雅夫　勁草書房
『フランス現代哲学の最前線』クリスチャン・デカン　講談社
『論理哲学論』ルートヴィヒ・ヴィトゲンシュタイン　中公クラシックス
『現代思想を読む事典』今村仁司・編　講談社
『大衆の反逆』ホセ・オルテガ・イ・ガセット　白水社
『暗い時代の人間性について』ハンナ・アーレント　情況出版
『活動的生』ハンナ・アーレント　みすず書房
『権力と抵抗―フーコー・ドゥルーズ・デリダ・アルチュセール』佐藤嘉幸　人文書院

『実存主義とは何か』J・P・サルトル　人文書院
『ジャック・ラカン転移（上）（下）』ジャック＝アラン・ミレール（編）　岩波書店
『消費社会の神話と構造』ジャン・ボードリヤール　紀伊國屋書店
『フーコーの系譜学　フランス哲学〈覇権〉の変遷』桑田禮彰　講談社
『意味の歴史社会学―ルーマンの近代ゼマンティク論』高橋徹　世界思想社
『権力と支配の社会学』井上俊　岩波書店
『グローバリゼーションと人間の安全保障』アマルティア・セン　日本経団連出版
『ナショナリズムとグローバリズム』大澤真幸、塩原良和、橋本努、和田伸一郎　新曜社
『ポストモダンの共産主義』スラヴォイ・ジジェク　筑摩書房
『金融が乗っ取る世界経済―21世紀の憂鬱』ロナルド・ドーア　中央公論新社
『全体主義―観念の（誤）使用について』スラヴォイ・ジジェク　青土社
『秘密と嘘と民主主義』ノーム・チョムスキー　成甲書房
『すばらしきアメリカ帝国』ノーム・チョムスキー　集英社
『経済学は人びとを幸福にできるか』宇沢弘文　東洋経済新報社
『ニグロ、ダンス、抵抗』ガブリエル・アンチオープ　人文書院
『新聞の時代錯誤』大塚将司　東洋経済新報社
『哲学者は何を考えているのか』ジュリアン・バジーニ＋ジェレミー・スタンルーム　春秋社

『悪夢のサイクル』内橋克人　文藝春秋
『なぜ疑似科学を信じるのか』菊池聡　化学同人
『新自由主義の破局と決着』二宮厚美　新日本出版社
『新聞は戦争を美化せよ！─戦時国家情報機構史』山中恒　小学館
『ポスト新自由主義─民主主義の地平を広げる』山口二郎、片山善博、高橋伸彰、上野千鶴子、金子勝、柄谷行人　七つ森書館
『シミュラークルとシミュレーション』ジャン・ボードリヤール　法政大学出版局
『始まっている未来』宇沢弘文、内橋克人　岩波書店
『ショック・ドクトリン　惨事便乗型資本主義の正体を暴く（上）・（下）』ナオミ・クライン　岩波書店
『テロルと戦争』スラヴォイ・ジジェク　青土社
『自由からの逃走』エーリッヒ・フロム　東京創元社
『正気の社会』エーリッヒ・フロム　社会思想社
『市場主義の終焉─日本経済をどうするのか』佐和隆光　岩波新書
『暴力とグローバリゼーション』ジャン・ボードリヤール　NTT出版
『環境学と平和学』戸田清　新泉社
『世界の知性が語る21世紀』S・グリフィスス　岩波書店

『世界を不幸にしたグローバリズムの正体』ジョセフ・スティグリッツ　徳間書店
『これは誰の危機か、未来は誰のものか―なぜ1％にも満たない富裕層が世界を支配するのか』スーザン・ジョージ　岩波書店

◎著者紹介

秋嶋亮（あきしまりょう）響堂雪乃より改名。

全国紙系媒体の編集長を退任し社会学作家に転向。ブログ・マガジン「独りファシズム Ver.0.3」http://alisonn.blog106.fc2.com/ を主宰し、グローバリゼーションをテーマに精力的な情報発信を続けている。主著として『独りファシズム―つまり生命は資本に翻弄され続けるのか？―』（ヒカルランド）、『略奪者のロジック―支配を構造化する210の言葉たち―』（三五館）、『終末社会学用語辞典』（共著、白馬社）、『植民地化する日本、帝国化する世界』（共著、ヒカルランド）、『ニホンという滅び行く国に生まれた若い君たちへ―15歳から始める生き残るための社会学』（白馬社）、『放射能が降る都市で叛逆もせず眠り続けるのか』（共著、白馬社）、『北朝鮮のミサイルはなぜ日本に落ちないのか―国民は両建構造（ヤラセ）に騙されている―』（白馬社）『続・ニホンという滅び行く国に生まれた若い君たちへ―16歳から始める思考者になるための社会学』（白馬社）、『略奪者のロジック 超集編―ディストピア化する日本を究明する201の言葉たち―』（白馬社）、『ニホンという滅び行く国に生まれた若い君たちへOUTBREAK―17歳から始める反抗者になるための社会学』（白馬社）、『無思考国家―だからニホンは滅び行く国になった―』（白馬社）などがある。

日本人が奴隷にならないために―絶対に知らなくてはならない言葉と知識―

発行日―――2023年5月10日　第一刷発行
　　　　　　2023年6月10日　第二刷発行
著　者―――秋嶋　亮
校　正―――熊谷喜美子
印刷所―――モリモト印刷株式会社
発行者―――西村孝文
発行所―――**株式会社白馬社**
〒612－8469　京都市伏見区中島河原田町28－106
電話075(611)7855　FAX075(603)6752
HP http://www.hakubasha.co.jp
E-mail info@hakubasha.co.jp

ISBN978－4－907872－38－0